단테가 읽어주는 『신곡』

The *Divine Comedy*: Dante's Spoken Epic

By Sangjin Park

Published by Hangilsa Publishing Co. Ltd., Korea, 2019

단테가 읽어주는 『신곡』

시공간을 뛰어넘는 단테의 생생한 목소리

박상진 지음

My Little Library 9

한길사

나는 그 깊숙한 곳에서 보았다.
우주를 가로질러 흩어진 것이
한 권의 책 속에 사랑으로 묶인 것을.
「천국」 33곡 85-87

단테가 읽어주는 『신곡』 듣기

· 머리말

지금 우리에게 익숙한 책 읽는 모습은 혼자 책상에 앉아 조용히 눈으로 활자를 따라가는 것이다. 수백 년 동안 이어진 인쇄문화의 영향으로 우리는 책을 하얀 바탕 위에 까만 글자로 구성된, 눈으로 보는 시각매체로 생각한다. 오랫동안 언어를 문자로 여겨온 것이다. 하지만 우리는 그보다 훨씬 오랫동안 소리 내어 책을 읽었다. 그리고 이를 함께 들으며 책읽기를 공유했다. 다만 인쇄문화가 위세를 떨치는 탓에 그 점을 잊고 있었을 뿐이다. 책을 눈으로 읽는지 아니면 소리 내어 읽고 이를 듣는지에 따라 작가와 독자의 역할이 달라지고 문학의 의미가 변해왔다. 우리에게는 그런 정황을 되돌아보는 일이 필요하다.

문학의 역사를 돌이켜보면, 인쇄문화가 보급되기 이전의 책은 필사된 문자로 이루어졌고, 책이 나오기 이전에는 다만 말이 있었다. 하지만 말이 있던 시절이 까마득히 먼 옛날이라 생각할 필요는 없다. 시간순으로 생각하면 말에서 필사본으로, 다시 인쇄본으로 이어져왔지만, 지금 우리가 사는 시대에서도 손으로 쓰인 필사본은 사라지지 않았을뿐더러 말하기를 이용한 문학활동은 더욱 활발해지고 있다. 여러 형태의 전자매체 덕분에 인쇄본이 주류에서 벗어나고 있는 마당에, 독자가 인쇄의 형태에 제한받지 않고 작가의 글을 접하는 새로운 방식들이 떠오르고 있다.

이런 측면에서 나는 번역과 연구로 매달려온 이탈리아 작가 단테 알레기에리Dante Alighieri, 1265-1321가 인쇄문화가 아직 유럽에 정착되지 않았을 때 글을 썼다는 사실을 새삼 생각하게 되었다. 단테는 손으로 글을 썼고 손으로 베껴 쓴 필사본들이 읽히는 것을 지켜보았다. 그뿐 아니라 자신의 글을 직접 여러 사람 앞에서 낭송했고, 다른 사람들의 낭송으로 자신의 글이 퍼져나가는 것도 알고 있었다. 단테가 1310년경 「지옥」의 집필을 끝낸 후부터 1321년 죽기 전 『신곡』을 완성하여 세상에 내놓은 이래 최초 인쇄본이 출간된 1472년까지 사람들은 주로 필사와 낭송으로 『신곡』을 접했다. 스스로 고백하듯, 더 많은 사람에게 지식과 사색의 은총을 전달하는 실천적 작가이기를 갈망했던 단테는 『신곡』을 쓰면서 그것이 필사와 낭송으로 유통되는 정황에 큰 관심을 기울일 수밖에 없었다.

단테는 내면의 목소리를 받아썼다. 들려오는 목소리를 발화하고 발화된 소리를 다시 들으며 옮겨 적는 방식으로 글을 썼다. 아리스토텔레스Aristoteles, 기원전 384-기원전 322가 생각 속에 펜을 담그는 필사가였던 것처럼, 단테 역시 내면의 목소리에서 언어를 떠낸 필사가였다. 내면의 목소리는 뮤즈이면서 정령이고 또한 그 자신의 은밀한 정신이었다. 그리고 그의 글은 그의 목소리가 언어로 정착되는 장소였다. 단테는 그렇게 받아쓴 글을 혼자서 또는 여러 사람 앞에서 낭독했다. 구술의 경험은 창작 과정은 물론 유통 과정에서도 일어났다.

사실상 『신곡』은 소리로 가득 찬 세계다. 처음 지옥에 들어선 단테는 소리로 지옥의 본질을 순식간에 깨닫는다. 별 하나 없는 어두운 하늘에서 울려 퍼지는 한숨과 울음 그리고 비명을 들은 단테는 울음을 터뜨린다. 갖가지 언어가 섞인 말소리, 고통의 울부짖음, 분노의 억양, 쉰 목소리, 손바닥 치는 소리가 마구 엉켜 아수라장을 만들고, 무수한 모래알처럼 쪼개져 깜깜한 허공을 떠돈다. 그에 반해 천국에 오른 단테의 귀에는 조화로운 협화음이 천사의 감미로운 노래와 함께 들려온다. 하늘을 수놓은 맑디맑은 빛은 아름다운 사파이어관을 두른 하프소리로 울려 퍼지고, 그 소리에 파묻힌 단테는 비로소 그곳이 천국임을 실감한다.

단테는 내세에 울려 퍼지는 이러한 소리를 당시 막 문자로 정착되기 시작하던 토스카나 지방의 속어에 담아냈다. 토스카나 속어는 점차 이탈리아를 대표하는 언어가 되었고 단테와 함께 이탈리아어는 처음부터 소리를 밴 언어로, 소리를 내는 언어로 성장했다. 우리 손에 들린 『신곡』의 글자는 소리를 내면서 우리에게 한숨, 비명, 불길火과 악취, 형형색색의 꽃, 눈부신 빛의 향연을 전달한다. 『신곡』을 펼치면 하얀 종이 위에 찍힌 검은 글자 사이로 죽음과 고통이 피처럼 흥건하게 책을 적시고, 정죄淨罪의 희망으로 부푼 호흡을 몰아쉬면서 부지런히 발길을 옮기는 영혼들이 보이며, 영원한 축복과 기쁨의 합창이 들려온다. 단테의 언어는 물질적인 만큼이나 감각적인데, 『신곡』에서 대부분 청각적 이미지는 시각적 이미지를 선도한다. 단테는 언어로 빛과 어둠의 소리를 들려준다.

『신곡』은 순례자 단테가 불행하고 비참한 상황에서 빠져나와 길잡이의 도움을 얻어 끝없는 고통의 세계와 처절한 정죄의 세계 그리고 찬란한 환희의 세계를 둘러보는 가운데 수많은 인물을 만나고 다양한 일화를 들으면서 자기 자신을 완성해나가는 이야기다. 단테의 순례를 따라가다 보면 우리가 인생에서 만날 수 있는 수많은 애틋한 사연을 듣게 되고, 우리가 두려워하고 피하려 하는 무서운 죄악을 낱낱이 목격하며, 우리가 꿈꾸는 세상이 어떤 모습이어야 하는지 새삼 깨닫게 된다.

셰익스피어가 개개인의 성격을 묘사하는 데 타의 추종을 불허한다면, 단테는 인간들이 모여서 만들어내는 다양한 상황을 극적으로 전개하는 데 단연 독보적이다. 그래서 우리는 단테의 『신곡』을 인간이 겪는 고통과 환희, 슬픔과 기쁨, 분노와 평온, 절망과 희망 같은 복잡다기한 삶의 유형을 총망라한 거대한 드라마라 부른다. 『신곡』은 이러한 서사성을 바탕으로 지난 700년 동안 문학은 물론 다양한 예술영역에 풍부한 영감을 선사했다.

인쇄된 책은 우리를 혼자만의 세계에 잠기게 한다. 그 세계에서 우리를 기다리는 것은 끝없이 내리뻗은 심연이다. 책을 눈으로만 읽을 때 우리는 제어하기 힘든 내면의 심연에 잠긴다. 하지만 책을 소리 내어 읽으면 우리의 영혼이 그 책의 세계와 공명해 깨어나는 것을 느낀다. 그리고 그 책을 접한 다른 사람들과 이런 경험을 공유하게 된다. 『신곡』은 우리가 모두 함께 부르는 노래다. 『신곡』은 우리가 함께 입과 귀를 열고 활자를 일으켜 세우기를 기다린다. 눈은 한 곳으로 향하기 마련이지만, 입과 귀는 사방으로 열린다. 눈에 보이는 광경은 우리를 거기에 놓고 고정시킬 뿐이지만, 구술하는 목소리는 우리를 그 속에 품고 그곳에서 우리의 존재가 시작되게 한다.

나는 독자들이 이런 점을 생각하며 『신곡』을 읽길 바란다. 『신곡』이라는 한 편의 고전古典을 소리 내어 읽는 것. 시인 단테의 목소리를 듣는 것. 그런 일들이 이 묵독의 시대에 왜 중요한지 또 그것이 어떻게 가능하며 어떤 즐거움을 주는지 경험해보라고 권하고 싶다.

생각해보면 나는 20여 년 전에 움베르토 에코Umberto Eco, 1932-2016의 기호학에 비판적으로 접근하면서 텍스트와 작가 그리고 독자 사이에서 구성되는 맥락에 관심을 두었고 텍스트 해석의 지평은 온전히 독자의 자유롭고 적극적인 참여로 열린다는 얘기를 많이 했다. 나는 이런 견해를 꽤 오랫동안 유지했는데, 이 책을 쓰다 보니 언제부턴가 작가 쪽으로 관심을 옮기고 있었다는 것을 발견했다. 물론 여기서 말하는 작가란 절대불가침의 권위를 지닌 전통적인 존재가 아니라 어디까지나 맥락의 한 축을 이루는 요소다. 맥락은 작가, 텍스트, 독자 그 어느 쪽에도 배타적이지 않고 그들 사이의 수평적인 대화가 끊임없이 형성되는 과정에서 작동한다. 작가의 목소리에 귀 기울인다는 것은 모든 해석의 기준과 가능성을 전적으로 작가에게 맡기는 것이 아니라, 작가의 실존적·물리적 존재방식, 그가 구성한 텍스트 그리고 그 둘을 접하는 독자를 함께 고려하는 것을 의미한다. 작가의 목소리는 언제나 그 사이에서 울려 퍼지고 있으니 말이다.

초고를 읽고 중요한 조언을 해주신 김용규 선생, 교열을 세심하게 봐주신 김대일 선생, 출간 과정을 끌어주신 백은숙 선생 그리고 글을 정성껏 다듬어준 조숙영 선생에게 감사의 인사를 드린다.

또 다가오는 여름 언저리에서
박상진

단테가 읽어주는 『신곡』

1부

단테의 시대

그런데 어찌하여 내가 가야 하나요?

「지옥」 2곡 31

1 시대 속의 단테

단테는 어디에서도, 어느 때에도 존재했다

단테가 세상을 떠나고 긴 시간이 흘렀다. 비록 약간의 부침은 있었어도, 단테는 오랜 세월 숱한 이의 시선을 한 몸에 받고 마음을 사로잡으며 거듭 태어났다. 수많은 시대와 사회에서 단테를 찬탄했고 다양한 관점에서 그 모습을 되새겼으며 다른 옷을 입혀 거닐게 했다.

그림, 조각, 음악, 연극, 영화, 드라마, 대중소설, 만화 그리고 컴퓨터게임에 이르기까지 단테를 새로운 모습으로 재현한 수많은 작업은 그 자체로 뛰어난 창조였으나 단테라는 기원에서 결코 분리된 적은 없었다. 그것들은 일찍이 구원과 정의, 섭리와 의지, 죄와 벌, 선과 악 같은 거대담론뿐 아니라 사랑과 증오, 겸손과 오만, 관용과 질투, 평정과 분노, 절제와 탐욕 같은 인간의 다채로운 면모를 깊이 묘사한 단테 고유의 세계를 지속시켰다.

이처럼 단테는 아주 오래전에 살았던 사람이 아니라 언제나 당대를 함께 살아가는 동시대인이었다. 그렇게 함께 살며 시대와 사회가 요구하는 소명에 구성원으로서 부응해야 할 필연성과 방식을 가르쳐주었다. 단테는 어디에서도, 어느 때에도 존재했다.

중세에서 근대로, 시대 속의 단테

단테가 활동했던 13세기 말에서 14세기 초는 중세에서 근대로 이어지는 거대한 과도기의 정점이었다. 과도기의 정점이란 앞서고 뒤따르는 상반된 두 흐름이 최대로 겹친 상태를 의미한다. 중세 내내 단지 무의미한 흔적으로 남아 있는 듯 보였던 고대를 다시 호출하는 역사적 흐름은 사실상 중세의 핵심 어디선가부터 이미 시작되고 있었다. 근대라는 새로운 시대는 중세의 강을 건너면서 갑자기 나타났다기보다 중세의 두터운 안개 속에서 천천히 모습을 드러냈다. 단테가 활동하던 당시 중세는 잊기에는 너무 가까운 과거였고 근대 또한 외면하기에는 너무 가까운 미래였다. 시대의 요구에 대한 응답이 단테를 일으킨 근본 동력이라고 할 때, 단테가 전인적인 자세로 인간을 탐구한 것은 결코 우연이 아니었다.

단테는 아리스토텔레스를 따랐고, 아우렐리우스 아우구스티누스Aurelius Augustinus, 354-430와 보에티우스Boethius, 477-524를 알았으며, 토마스 아퀴나스Thomas Aquinas, 1224/25-74를 탐독하는 한편 푸블리우스 베르길리우스 마로Publius Vergilius Maro, 기원전 70-기원전 19를 존경했고, 호메로스Homeros나 푸블리우스 오비디우스 나소Publius Ovidius Naso, 기원전 43-기원후 17/18에게 묘한 경쟁심을 느꼈다. 그는 라틴어가 생명력을 잃어가던 상황에서 새로운 언어의 태동을 직감했고, 토스카나 속어를 토대로 이탈리아어의 완전한 모델을 내놓았다. 그리하여 당시 새롭게 등장한 시민계급은 물론 그 아래 계층까지도 봉건귀족과 성직자의 전유물이었던 철학적 사유를 누리며 지성의 향연을 펼칠 수 있게 했다. 또한 단테는 정치가로서 중세 내내 권력의 정점에 있던 교황이 세속의 황제와 대립하고 충돌하는 현장을 여러 차례 목격하고 직접 개입하는 등, 보편권력의 형태와 작동방식을 구상했다. 가장 중요한 사실은 그가 고대의 숭고한 인문전통과 중세의 초월자를 향한 소망 그리고 새롭게 탄생하는 근대적 인간의 개별성과 세속적 욕망에 대한 긍정을 종합하고 농축하여 고도로 세련된 문학형식에 담아냈다는 것이다.

실천하는 지식인

단테는 한마디로 실천적 지식인 작가였다. 무릇 작가치고 실천을 모르거나 지식인이 아닌 경우는 없겠으나, 단테가 보여준 실천은 지식인이자 작가로서 지녀야 할 정체성의 정수를 이루는 것이었다. 단테가 1265년 이탈리아의 피렌체에서 태어났다는 점에 우선 주목하자. 누구도 시대와 사회의 영향에서 자유로울 수 없고, 이에 따라 시대와 사회는 구성원에게 어떤 물음을 던지거나 특정 요구를 하기 마련이다. 세상이 어지러울 때 오히려 뛰어난 사상과 실천이 등장하는 것은 그 때문이다. 단테는 13세기에서 14세기로 넘어가는 시기에 피렌체에서 태어나서 자라고 활동했다. 시대와 장소는 단테라는 인물이 형성되는 데 결정적인 역할을 했다. 단테가 시대와 사회의 부름에 능동적으로 응답하는 실천으로써 지식인 작가로 우뚝 서고, 자신의 개인감정과 사고를 보편의 차원에서 펼쳐 보이는 힘은 바로 이런 특수한 맥락에서 나왔다.

단테는 브루네토 라티니Brunetto Latini, 1220-94에게 수사학과 자신이 속한 사회에서 시민이 담당해야 할 의무를 배웠고 이를 내면 깊숙이 간직했다. 눈부신 청년 시절 단테는 진보의 감성과 의식을 거침없이 표출하던 동료들과 함께 새로운 언어와 주제를 표방하는 청신체淸新體, Dolce stil novo 문학운동을 벌였다. 이들은 중앙언어였던 라틴어 대신 토스카나 속어를 새로운 문학언어로 사용했고, 이탈리아 반도를 대표하는 언어로 만들었다. 청신체파가 이 새로운 이탈리아어에 담아내고자 했던 주제는 사랑이었다. 그들에게 사랑은 과거의

도메니코 디 미켈리노(Domenico di Michelino, 1417-91),
「단테와 신곡」(1465).
미켈리노의 이 그림은
인간은 시대와 사회에 대해
마땅히 책임의식을 지녀야 한다는
『신곡』의 메시지를 잘 표현한다.

궁정적·세속적 의미와는 판이하게 다른 의미를 지녔다. 궁정적 사랑이 군주와 신하를 연결하고 세속적 사랑이 남성과 여성을 연결한다면, 그들이 구상했던 사랑은 신과 인간을 연결하는 힘이자 원리였다. 그들은 구원의 차원에서 사랑의 감정과 정신을 느끼고 생각하려 했다. 신과 인간의 연결로서의 사랑. 여기에는 세심하고 끈기 있게 탐사해야 하는 복합적인 주제와 문제가 많이 도사리고 있다.

청년 단테가 사랑의 주제를 펼쳐내는 데 동기와 영감을 준 사람은 포르타나리 가문의 베아트리체Beatrice Portinari, 1265-90였다. 단테는 베아트리체를 향한 사랑을 영원한 구원의 주제와 연결했다. 그리고 이를 시와 산문을 엮어 짠 독특한 형식의 『새로운 삶』*Vita nuova*에 담아냈다. 『새로운 삶』은 1290년 베아트리체의 갑작스러운 죽음에 충격받기 전까지 그녀에게 젖어들었던 자신의 내면을 고스란히 담아낸 책이다. 단테는 베아트리체의 죽음 이후 철학을 '새로운 여인'으로 삼아 그 충격에서 헤어나려 했다. 특히 아리스토텔레스, 보에티우스, 아퀴나스 같은 철학자를 연구했으며. 1295년 무렵부터는 현실정치의 무대로 진출하기 시작했다.

단테는 피렌체의 행정위원으로 선출되기까지 정쟁의 한가운데서 최고의 수완을 발휘했다. 정치가이자 공직자로서 단테는 정의로운 공동체를 일정한 사회적·역사적 맥락에서 실현하는 데 앞장섰으며, 어느 정도는 성공한 듯 보였다. 단테가 펼친 활동의 궁극 목표는 보편의 가치를 지닌 권력을 가장 낮은 현실에서 가장 정당하게 행사할 수 있게 하는 것이었다. 그러나 그의 정치적 이상은 현실로 내려오기에는 너무 고매했다.

단테의 실천은 어느 순간 고립되고, 그는 좌절한다. 매우 복잡하게 얽혀 전개되던 정쟁 속에서 단테가 속한 정당이 패배하고, 마침 외교사절로 로마에 가 있던 그에 대한 궐석재판이 열리면서 그는 추방형을 선고받는다. 그와 가족은 재산을 몰수당하고 시민으로서의 모든 권리를 상실하기에 이른다. 이후 그는 죽을 때까지 거의 20년 동안 피렌체에 돌아가지 못하고 이탈리아반도뿐 아니라 유럽의 이곳저곳을 정처 없이 떠도는 망명생활을 이어가야 했다.

나는 방랑자로서의 단테를 떠올린다. 단테는 망명지를 전전하는 동안 늘 귀향의 날을 간절하게 바라는 쓸쓸한 방랑자의 모습을 보였다. 그것은 단테가 추방당해 막 방랑을 시작하던 1306년부터 1308년 사이에 쓴 『향연』*Convivio*에서제1권 제3장 잘 나타난다.

> 사실 나는 돛도 없고 키도 없는 배였으며, 고통스러운 가난에 불어오는 메마른 바람에 이끌려 여러 항구와 포구, 해변으로 옮겨 다녔다.
>
> 『향연』 제1권 제3장 5행

망명자

누가 이탈리아를 수인囚人의 나라라고 했던가. 이탈리아 역사에서 수많은 지식인은 수인으로 지내는 시기를, 일정한 거리를 둔 채 사회를 관찰하고 내면을 숙성시켜 이를 긴 호흡으로 글에 담아내는 기회로 삼았다. 이들의 글은 이탈리아를 고비마다 지탱하고 지속적으로 발전시키는 자양분 역할을 톡톡히 했다. 단테 역시 자신의 지성을 담은 글 대부분을 망명자로서 세상을 떠돌며 격리된 상황에서 썼다.

망명자 단테는 망명 이전에 수행했던 학문연구와 정치실천을 글쓰기로 이어갔는데, 글쓰기의 토대는 학문의 실천뿐 아니라 실제 삶에서 추구했던 인간과 사회에 대한 끈질긴 천착이었다. 죽을 때까지 이어진 망명생활은 고난의 연속이었다. 적법한 권력행사로 원만한 인간 공동체를 구현하려던 정치가와 행정가로서 자신의 모든 것을 쏟아부은 그에게 망명생활은 고통스럽기 짝이 없었다. 단테는 오로지 글을 쓰는 데 전념했다. 역설적이게도 그 고립된 상황에서 자신을 둘러싼 현실세계는 물론 영원한 세계에 대한 공정하고 심오한 사색에 잠길 수 있었다.

『신곡』을 비롯해 『제정론』*De monarchia*, 『속어론』*De vulgari eloquentia*, 『향연』 등, 『새로운 삶』과 몇몇 시를 제외한 단테의 모든 작품은 망명기에 쓰였다. 마지막까지 중단 없이 실천하는 힘이 되었던 것은 고통이었다. 단테는 작가, 정치학자, 언어학자 그리고 철학자로서, 시대의 요구에 부응하는 실천적인 내용을 구원, 사랑, 정의 같은 보편의 주제와 아우르며 펼쳐냈다. 비록 고독한 은둔과 냉혹한 시련의 나날이었지만, 세상과 내면의 대화를 나누며 자신의 생각을 차분하게 정리할 수 있었던 행운의 시간이기도 했다.

단테는 자신과의 진지한 대화로 세상과 대결하는 동시에 보편적인 가치를 추구하며 삶을 꾸려나갔다. 언제나 자신의 내면을 들여다보았고, 자신이 무엇을 원하는지 물어보았다. 시인이자 정치가 그리고 망명자로 성취와 실의, 고난과 극복의 삶을 살았지만 그 어느 때도 또 그 어디서도 결코 좌절한 적은 없었다. 망명은 그를 고립시켰지만 그 고립은 역설적으로 세상과 더욱 원활하고 균형 잡힌 소통을 가능하게 하는 절대조건이 되었다.

그는 언제나 인간 전체를 생각했으며 궁극의 진리를 탐구했다. 그러면서도 인간과 진리가 추상적 개념으로 떠다니거나 화석처럼 굳지 않고 삶으로 내려와 삶 속에 녹아들게 했다. 단테는 무엇보다 시대의 요구에 응답하면서 자신의 정체성을 구성했고, 그 과정을 문학과 학문, 실천의 방식으로 채웠다. 그렇게 단테는 길을 찾고 만들어나가는 순례자로서, 시대와 공간을 뛰어넘는 창조적 인간으로서의 모범을 심오한 시적 언어로 보여준다.

2 『신곡』의 구조와 전개

『신곡』의 시작과 구조

단테가 『신곡』을 쓰기 시작한 것은 망명생활을 시작한 지 3년 정도 지난 뒤였다. 『새로운 삶』에서 발아한 사랑의 탐사는 망명이라는 시련을 거쳐 『신곡』에서 무르익고 결실을 맺었다. 사랑은 단테에게 처음이자 끝이었다. 『새로운 삶』은 시작을, 『신곡』은 끝을 이루었다. 단테가 『신곡』에서 보여주고자 한 것은 자신이 생각한 삶의 궁극적인 가치였다. 이는 인간과 세계, 신과 구원, 사랑과 정의, 죄와 벌, 선과 악 등 시공을 뛰어넘는 보편의 문제들과 관련된다.

형식의 차원에서 단테는 그간 표현이 불가능하다고 여겨진 영역을 표현하고자 했다. 인간을 초월한, 또는 인간 내면 깊숙한 곳에 자리한 그 무엇을 독자에게 새로운 언어로 전달하려는 작가로서의 책무에 유난히 충실했던 것이다(이 새로운 언어는 곧 단테 스스로 '뛰어난 속어'vulgare illustre라 부른, 이탈리아 속어로 된 문학언어를 가리킨다). 정치가이자 행정가로서 보여준 현실적 실천은 이제 작가로서 특정한 시공간을 넘어서는 문학적 실천으로 옮겨가고 있었다. 그에 따라 단테는 피렌체라는 특수한 지역의 시민으로 머물지 않고 세계시민의 차원으로 나아갈 수 있었다.

『신곡』은 내세에 대한 이야기다. 작가 자신이 주인공으로 등장해 지옥과 연옥 그리고 천국을 차례대로 순례하면서 보고 들은 여러 광경과 사연을 깊이 있는 언어로 들려주고 삼연체(terza rima, 한 연이 모두 3행으로 구성되고, 각운이 엇갈려 세 번씩 반복된다)기법과 십일음보(endecasillabo, 한 행을 11음절로 유지하며, 넷째, 여섯째 , 열째 음절에 강세를 둔다)형식으로 대표되는 세련된 형식에 담았다. 단테와 거의 동시대를 살았고 『데카메론』*Decameron*을 쓴 조반니 보카치오Giovanni Boccaccio, 1313-75에 따르면 단테는 우리 인생에 세 종류가 있다고 생각했다. 첫째, 죄악으로 물든 사악한 인생, 둘째, 죄악을 떠나 미덕을 향해 나아가는 인생, 셋째, 미덕으로 가득 찬 인생이다. 실제로 단테는 『신곡』을 세 권으로 나눴는데, 첫째 책인 「지옥」Inferno은 사악한 인생을 징벌하고, 둘째 책인 「연옥」Purgatorio은 죄인들에게 속죄의 기회를 주며, 셋째 책인 「천국」Paradiso은 선한 사람들에게 상을 주는 내용을 묘사한다. 각 책은 33개의 곡canto으로 채워져 있고, 「지옥」에는 서곡이 포함되어 있어 전체 100곡으로 구성된다.

『신곡』에서 재현되는 내세

「지옥」은 우리 발 아래 형성된 거대한 지하세계를 그린다. 그리스신화에 등장하는 다이달로스의 미궁처럼 극도로 복잡하고 대단히 치밀하게 설계된 계획도시 또는 거대한 건축물의 모습이다. 현세에서 죄를 지은 자들을 크게 무절제, 폭력, 사기로 분류하고, 그 분류를 아홉 가지로 더 세분하여 죄인들을 격리 수용한다. 지옥 곳곳에 적절하게 배치된 마귀들이 망령들에게 죄에 알맞은 형벌을 가한다. 이 마귀와 망령들은 상상을 넘어선 모습을 하고 있으며 곳곳에 우글거린다. 지옥은 아래로 내려갈수록 좁아져 팽팽한 긴장감을 더하며, 맨 아래에는 지옥의 마왕 루치페로Lucifero가 거꾸로 박혀 있다.

한편 「연옥」은 바다 한가운데 솟아오른 섬이자 산 모양을 한 정

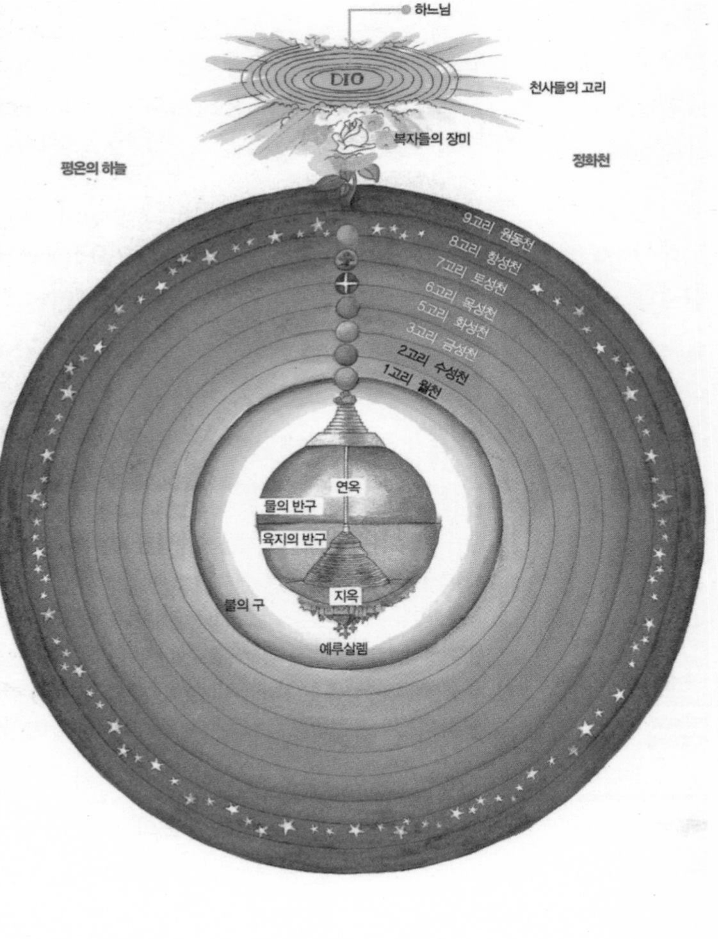

『신곡』의 내세구조.
단테의 놀라운 상상력은 우리가 경험하지 못한 내세를
치밀한 구조와 다양한 인물로
손에 잡힐 듯 구체적으로 제시한다.

죄淨罪의 장소를 묘사한다. 이곳에 오게 된 망령들은 산기슭에서부터 꼭대기에 오르기까지 형벌을 받으며 죄를 씻는다. 마침내 지상낙원에 도착한 그들은 망각의 강인 레테강과 기억의 강인 에우노에강에 몸을 적시면서 순수하게 거듭난 상태로 천국에 오른다. 이들은 죄를 하루라도 빨리 씻어야 고통을 덜 겪고 천국의 기쁨을 일찍 맛볼 수 있기에 시간을 단축하는 일이 매우 중요하다. 원래 내세는 현세의 시간관념을 초월한 곳이다. 따라서 연옥은 내세치고 특이한 곳임이 틀림없다. 더욱이 연옥의 죄인들이 죄를 씻는 시간을 단축하는 데 가장 큰 힘을 발휘하는 것은 현세에 남은 자들이 그들을 위해 하는 기도다. 현세가 내세를 조절하는 꼴이다. 그런 면에서 연옥은 지옥과 천국에 비해 우리가 사는 현세와 더 닮았고 또 현세와 연결되어 존재한다.

지옥과 연옥이 지구에 박혀 있는 반면 마지막 「천국」은 지구를 감싼 채 떠 있는 복자福者의 세계를 재현한다. 천국은 무게를 지닌 물질세계에서 벗어난, 빛으로 가득 찬 세계이며 이곳으로 인도된 구원받은 자들도 빛의 형상을 하고 있다. 또한 지옥의 중력에서 완전히 벗어나 한없이 가벼운 곳이다. 하느님의 빛은 그 모든 빛의 본질이다. 천국의 빛인 구원받은 자들은 하느님의 빛을 공유하면서 우리가 상상할 수 없는 기쁨을 영원토록 누린다. 하지만 이들은 스스로를 폐쇄적 공간에 가두지 않는다. 이들은 지옥과 연옥의 죄인을 염려하고, 현세의 인간에 관심을 쏟는다. 그들의 기쁨은 천국의 행복을 더 많은 사람과 나누는 데서 나온다.

대략 이것이 단테가 구상한 내세의 구조와 풍경이다. 죽음 이후의 세계인데도 단테는 살아 있는 몸으로 그 세계를 견학한다. 단테는 잠에 빠져 올바른 길을 잃고 어두운 숲에서 홀로 헤매다가 로마의 시인 베르길리우스를 만난다. 단테는 그의 안내에 따라 두려움과 공포 그리고 슬픔을 불러일으키는 지옥과 연옥을 둘러본다. 우여곡절 끝에 연옥의 꼭대기에 위치한 지상낙원에 도달한 단테는 영원한 연인 베아트리체를 다시 만나고, 그의 인도를 받아 천국의 하늘을 여행한다. 그리고 마침내 하느님의 빛 속에 온전히 속하면서 영원한 구원을 맛본다. 그러나 단테는 그곳에 머무르지 않는다. 순례의 과정에서 수도 없이 되뇌었던 것처럼, 살아 있는 자들의 세계로 되돌아와 그가 내세에서 보고 들은 것을 인간의 언어로 재현한다.

오늘날 다시 부활하는 단테

우리는 『신곡』을 읽는 동안 마치 단테의 그림자가 된 것처럼 그의 순례에 동참한다. 이로써 우리가 바라는 구원은 무엇인지, 사랑은 어떻게 실천할 수 있는지 고민한다. 또한 정의란 도대체 어떻게 이룰 수 있고, 윤리와 평화는 어떤 의미를 지녀야 하는지, 그래서 우리가 어떻게 해야 좀더 원숙한 공동체를 이룰 수 있는지 생각하게 된다. 이는 700년 전의 이탈리아 시인 단테가 품었던 질문이지만, 오랜 세월이 지난 후 지구 반대편에 살고 있는 우리도 똑같이 직면하고 있는 문제다. 타자에 대한 섬세한 감수성을 지닌 단테의 언어는 지금 여기에서도 오롯이 부활해 우리에게 날선 질문을 던진다.

단테가 오늘날 다시 글을 쓰면 과연 어떤 내용을 다룰까? 단테는 틀림없이 자기 시대와 크게 다른 점을 발견할 것이다. 분열과 반목이 횡행하던 시절이었지만 그의 시대에는 누구나 바라는 공통의 염원이 있었고 누구나 인정하는 공통의 가치가 있었다. 비평가 죄르지 루카치György Lukács, 1885-1971가 말했던 것처럼 하늘에서 빛나는 별을 따라가기만 하면 행복이 보장되는 본질주의가 아직 살아 있던 시대였다. 하지만 오늘날 그런 별은 없어졌거나 너무 멀어져 희미하게 깜박거릴 뿐이다. 우리는 우리의 삶 자체를 하나의 문제로 직면하며, 결코 완전히 해결하지 못한 채 껴안고 살아야 하는 처지에 놓여 있다.

역사가 야코프 부르크하르트Jacob Burckhardt, 1818-97가 지적한 대로, 단테의 위대함은 인간의 정신을 도와 비밀스러운 내면세계를 의식하도록 노력했다는 점에 있다. 그는 언덕 위에서 빛나는 별을 바라보며 그리로 나아가기 위해 우선 지옥과 연옥을 우회하는 엄청난 여행을 감행한다. 마침내 그 별에 도달해 인간으로서 맛볼 수 있는 궁극의 희열과 행복을 누리지만, 동시에 그 별이 사라진 어두운 숲으로 돌아와 인간의 불행과 슬픔이 새겨지는 다채로운 맥락을 들여다본다. 그리고 또다시 길을 찾아 나선다. 단테는 인간이 경험하는 거의 모든 영역을 『신곡』에 담고자 했지만, 최후까지 천착했던 것은 인간 그 자체였다. 그는 끊임없이 인간을 고민했으며 거기서 시작해 당대 사회와 역사의 문제들을 풀어나가고자 했다.

단테는 자신의 언어를 읽고 목소리를 듣는 우리에게서 오늘날 다시 부활하는 중이다. 어쩌면 그는 이미 오랫동안 우리 곁에 있었을지도 모른다. 다만 우리의 눈이 거기에 머물지 못했을 뿐이다. 오랫동안 숨겨진 비밀스러운 인간의 내면세계를 느끼고 의식하려 노력한다면, 우리도 당면한 여러 문제에 대해 좀더 깊은 성찰과 날카로운 비평 그리고 진지한 실천으로 나아갈 수 있을 것이다. 나는 바로 이런 측면에서 단테의 목소리를 들으려 한다. 우리가 어떠한 경험을 하고, 어떠한 문제에 부딪히고, 어떠한 노력을 기울이든 단테는 그 너른 날개로 우리의 의지와 소망을 북돋아 줄 것이다. 그렇기에 700년의 시간을 거슬러 동서양을 가르는 오래된 편견을 부수고, 단테가 나지막이 속삭인 또는 크게 외친 목소리를 듣는 자리에 여러분을 초대하고 싶다. 인쇄된 문자에 대한 시각적 접근에 오랫동안 익숙해진 독자들은 이렇게 단테의 목소리를 직접 듣는 청각적 시도에서 그를 만나는 새로운 통로를 발견하게 될 것이다. 이로써 단테 문학을 진정으로 경험하는 기회가 되기를 바란다.

3 순례, 보편적 가치의 고민

『신곡』을 호출하는 시대

인간이란 무엇인가? 정의는 어떻게 실현되며, 사랑은 왜 중요한가? 삶의 공동체를 건설하는 것이 구원과 직결된다는 말은 무슨 뜻이며, 이를 위해 함께 생각하고 감정을 나눠야 하는 까닭은 무엇인가? 권력은 인간다움을 실현하는 데 어떻게 적용되어야 하는가? 정의와 사랑, 구원 같은 인간의 기본 가치는 우리 삶에 어떻게 스며드는가? 단테는 이런 본질적인 물음에 답하기 위해 당대 사회와 역사의 지극히 구체적인 맥락 속에 자신을 던져넣었다. 때문에 『신곡』은 특수하면서도 보편적인 힘을 지닌 채 지금까지도 그 유효성을 유지하고 있다.

우리는 지구 전역에서 일어나는 온갖 일을 아주 상세한 부분까지 실시간으로 알 수 있는 시대에 살고 있다. 이처럼 놀라운 수준의 문명을 자랑하는 오늘날 사회는 대단히 복잡하게 얽혀 있지만, 다른 한편 극소수의 집단에게 조종되고 감시되며 지배당하는 조지 오웰George Orwell, 1903-50식의 디스토피아, 또는 말초적 감각과 욕망에 취해 의지와 실천을 스스로 방기하고 쾌락에 모든 것을 내맡기는 올더스 헉슬리Aldous Huxley, 1894-1963식의 디스토피아를 향해 나아가는 듯하다. 지구 어느 곳에서는 전쟁이 발발하고 처절한 살육이 벌어지며, 또 어느 곳에서는 정치패권을 둘러싼 다툼이 치열하다. 우리 사회는 고착된 분단체제 아래 여러 이념과 계층으로 나뉘어 첨예한 갈등을 겪고 있다. 그런가 하면 각 개인은 정보의 홍수에 빠져 성찰하고 소통하는 힘을 잃어가고 있다. 완성된 이미지에 갇혀 낯선 미지의 세계를 상상하는 기쁨도 잊고 산다. 오래 전 단테는 이런 인간의 미래를 예상이라도 했다는 듯 거기에 대처하는 새로운 인간상을 구상했다.

오늘날 단테의 『신곡』이 다시 떠오르고 할 얘기가 많아진다면, 그 이유는 과연 무엇인가? 우리는 어느 때보다 더 절실하게 단테를 읽어야 할 필요에 직면하고 있다. 단테가 말해주듯 지옥이 우리 발 아래에 있다고 할 때, 이 말은 지옥이 우리와 분리된 다른 세상이 아니라 우리가 지옥 위에서, 즉 지옥을 딛고 삶을 이어가고 있다는 뜻으로 생각해야 한다. 어쩌면 오늘날 우리의 삶의 방식이 곧 지옥을 만드는 것이 아닐까? 단테는 오만의 죄를 물어 지옥에 둔 오디세우스의 입을 빌려 일찍이 살아 있을 적에 짐승처럼 살지 말고 인간으로서의 피와 명예를 생각하라고 엄중하게 경고한다.

> 그대들의 씨앗을 생각하라! 그대들은
> 짐승처럼 살기 위해서가 아니라
> 덕과 지知를 따르기 위해 태어났다.
>
> 「지옥」 26곡 118-120

본질적으로 인간은 지옥을 지향하는 존재가 아니다. 단테는 욕망을 조절하고 스스로를 배신하지 않는 것을 죄를 짓지 않는 최선의 길로 여긴다. 그러나 뒤집어 말하면 인간은 욕망을 조절하지 못하고 선에 저항하는 능력을 발휘하는 유별난 존재이기도 하다.

구원의 행로

우리 살아가는 발길 반 고비에
나는 어느 어두운 숲속에 있었네.
곧은길이 사라져버렸기에.

「지옥」 1곡 1-3

단테는 『신곡』의 주인공으로 등장한다. 인간이라면 누구나 살아가다가 어두운 숲에서 삶의 길을 잃기 마련인데, 구원을 향한 단테의 순례도 그러한 처지에서 출발한다. 곧게 뻗은 길에서 벗어난 그는 어느새 빽빽한 숲속의 어둠 속에서 이리저리 헤매는 자신을 발견한다. 간신히 어둠에서 빠져나와 저 산 위에서 빛나는 별을 향해 나아가려 하지만 표범과 사자, 암늑대가 길을 가로막는다. 이들은 각각 탐욕, 오만, 음욕의 상징으로서 인간이 죄를 피하지 못하게 하는 근본 원인이다.

단테는 이들을 물리치지 못해 다시 어둠으로 밀려나지만 그가 존경하던 베르길리우스가 나타나 빛나는 별을 향한 순례로 이끈다. 그 순례는 지옥에서 출발해 연옥을 거쳐 천국에 이르는, 장중하면서도 연민을 동반하는 길이다. 빛나는 별로 직접 나아가기보다 죄와 벌, 유혹과 절제, 사랑과 증오 등으로 점철된 복잡다단한 인간사를 압축된 형태로 직면하고 목격하는 단테의 우회는 우리가 구원을 추구하면서 걷는 복잡한 행로와 닮아 있다.

단테가 인간의 본질을 면밀하게 관찰하면서 걸은 구원의 순례는 천국의 꼭대기에서 그 궁극에 도달한다.

여기서 높은 환상은 힘을 잃었다. 하지만

귀스타브 도레(Gustave Doré, 1832~83),
「어두운 숲속의 단테」(1861).
어두운 숲에서 길을 잃고 두리번거리는
단테의 모습에서 삶의 지표를 상실한
우리의 처지를 떠올리게 된다.

이미 나의 소망과 의지는, 똑같이
움직이는 바퀴처럼, 태양과 다른 별들을

움직이시는 사랑이 돌리고 있었다.

「천국」 33곡 142-145

단테는 구원을 향한 출발인 어두운 숲에서부터 그 궁극인 천국에 이르기까지 자신의 시적 상상력을 최대로 발휘했다. 지옥과 연옥에서 이성과 감성을 성공적으로 조화시킨 단테의 상상은 모든 것을 초월한 절대자의 영역에 이르러서는 더는 나아갈 수 없고, 그가 보고자 했고 담고자 했던 초월의 비전은 육체라는 한계를 지닌 시각으로 간파할 수 없다. 하지만 동시에 단테는 자신의 소망과 의지가 절대자의 완전성과 온전히 하나 됨을 알게 된다. 앎의 열망으로 나아간 의지는 보편적 질서의 리듬 속에서 안정을 이루고, 신성한 신비의 심오함에 잠긴다. 그리고 단테는 은총이 비추는 가운데 복자의 반열에 이른다. 『신곡』의 처음은 어둠이되 끝은 빛으로 가득하다.

순례자에서 작가로

시인은 자신의 "높은 환상"이 이미 절대자와 함께 우주만물의 모든 운행을 마치 수레바퀴처럼 조화롭게"똑같이" 관장하고 있었음을 깨닫는다. 그리고 그 모든 것 뒤에 사랑이 버티고 있음을 알게된다. 모든 것을 알고자 하는 시인의 바람, 그러나 자신을 초월한 저 먼 곳으로 나아가면서 흔들리고 힘을 잃는 그의 의지, 그 모든 것은 이미 작동하고 있던 보편적 질서의 조화로운 리듬 속에서 영원한 안정을 이룬다. 인간이 추구하는 구원의 원리와 힘은 사랑에서 나오고, 그 사랑은 인간 스스로 추구할 때 비로소 작동된다.

어두운 숲에서 홀로 외롭게 서 있던 단테는 지옥과 연옥을 거쳐 천국의 꼭대기까지 오르면서 인간이 겪을 수 있는 모든 운명을 만난다. 어두운 숲에서 길을 잃은 영혼에게는 신도, 지도자도, 방향도 없었지만, 사랑의 원천과 결합한 영혼은 행동할 준비가 되어 있었다. 영혼과 육신 그리고 삶을 영원히 긍정하는 태도가 가능해진 것이다. 그러나 놀랍게도 그렇게 새로 태어난 단테는 현세로 돌아온다. 단테는 구원의 궁극에 머무는 대신 돌아와 자신이 내세를 방문해 겪은 엄청난 얘기를 우리에게 들려준다. 그래서 위에서 인용한 『신곡』의 마지막 구절은 이미 현세로 돌아온 단테가 하늘을 올려다보는 물리적·정신적 자세를 묘사하는 느낌을 준다.

단테는 자신의 존재를 영혼의 그림자라기보다는 육체라는 물질로 구성된 것이라고 생각했다. 그는 죽음 이후에 영혼의 존재들이 기거하는 곳을 살아 있는 육체의 존재로서 여행하고자 했고, 또한 육체를 유지한 채 육체의 세계로 돌아오고자 했다. 단테는 죽음 이후의 세계를 여행하는 내내 죽음 이전의 세계로 돌아가겠다는 희망과 의지를 표명한다.* 그래서 피와 살로 이루어진 살아 있는 개체로서의 정체성을 잃지 않도록 노력했다. 『신곡』은 처음부터 끝까지 죽음 이후의 세계를 말하지만 언제나, 이미 죽음 이전의 세계를 가리키고 있었다. 어쩌면 죽음 이후의 세계는 그저 참고용이며 죽음 이후의 세계에서 만날 구원은 죽음 이전에 실현했어야 할 세속적인 여러 가치와 더 관련된다는 사실을 보여주고자 한 것 아니었을까?

* 특히 여행이 절정을 이루는 천국에서
귀환의 의지를 더욱 강하게 피력한다.
「천국」 1곡 49, 25곡 7-9, 25곡 129, 27곡 64-66, 31곡 44-45.

이런 측면에서 우리는 '돌아온 단테'를 떠올려야 한다.*

하늘과 땅이 서로 손을 잡았던, 그래서
나를 오랜 세월 쇠약하게 한,
거룩한 시가 언제라도 일어난다면,

내가 양처럼 잠든 포근한 우리 밖으로
나를 쫓아낸 잔악한 마음, 싸움을 거는
늑대들을 적으로 승리를 거둔다면,

그때 나는 다른 목소리와 다른 양털을 지닌
시인으로 돌아가리라, 그래서 나의
세례의 샘에서 모자를 쓰리라.

「천국」 25곡 1-9

돌아온 단테

내세의 순례를 마치고 현세로 돌아온 단테는 인간의 구원을 내세가 아닌 현세에서 추진해야 할 기획으로 생각했다. 단테는 현세의 구원을 성직자나 계몽적 지도자에게 맞길 것이 아니라 모든 평범한 사람이 수행해야 할 책임이라고 말했으며 이를 시대와 사회의 요구에 응답하는 능력responsibility이라 불렀다. 단테는 스스로 『신곡』을 가리켜 "하늘과 땅이 서로 손을 잡았던 거룩한 시"「천국」 25곡 1-3라고

* 단테는 작가로 돌아가서 경험을 글로 전하라는 명령을 여러 곳에서 받는다.
「천국」 27곡 64-66; 「연옥」 32곡 100-105, 52-57.

묘사했다. 단테는 떠나면서 이미 돌아오고 있었다.

돌아올 길을 떠나는 단테와 처음부터 동반한 것은 사랑이었다. 사랑은 그가 떠나는 길이 다시 돌아오는 길로 이어지도록, 수레를 받치는 바퀴처럼 끊임없이 돌아가고 있었다. 하지만 사랑은 불변의 궤도를 따라 돌아가는 바퀴에 우리의 의지를 일방적으로 꿰어맞추기를 바라지 않는다. 대신 정해진 것 없는 불확실성 속에서도 우리 자신의 결정을 밀고 나가라고 권한다. 그렇게 찾고 또 찾는 여정 속에서 사랑 자체를 새롭게 인지하고 유지하라고 한다. 그렇다면 작가이자 순례자 단테는 자신의 순례를 끝없이 해체하고 재구성하는 가운데 신의 은총을 인간의 기획으로 수행하는 일종의 문제적 주인공이 아닌가.

단테는 순례를 이어가면서 신이 되어가고 있었다. 구원으로 이끄는 존재로 상상했던 신으로 변신하면서 단테는 새로운 인간으로 진화하고 있었다. 순례 내내 땅으로 돌아가리라 수없이 되뇌던 단테는 이제 순례자에서 작가로 변신한다. 그래서 예지叡智와 연민 그리고 윤리로 뭉친 작가로서 『신곡』을 쓰면서 무지하고 둔감한 인간들을 껴안고 다시 순례길로 나아간다. 우리는 『신곡』을 읽는 독자로서 단테의 순례길에 동참한다.

단테는 『신곡』을 읽는 독자를 인도하는 길잡이로 나서지만 독자를 독립시켜 스스로 진화하게끔 유도한다. 진화하지 않는 독자는 스스로의 구원을 추구할 수 없으며, 단지 구원의 수동적 대상이 될 뿐이다. 이는 단테의 순례방식과 같다. 단테는 내세의 순례에서 길잡이를 앞세웠지만 사실상 단테를 이끈 것은 자기 자신이었다. 길잡이는 자신의 모습이 투영된 존재다. 마찬가지로 단테는 독자의 길잡이를 자임하되 독자가 자신만의 길을 찾고 자신만의 별을 찾도록 권한다. 이는 『신곡』이 해석되는 지평을 무한대로 넓혀주었으며,

진정한 의미의 고전이 되는 데 결정적인 역할을 한다. 단테는 독자가 『신곡』에서 끊임없이 새로운 함의를 생산해내며 스스로의 무지를 깨닫고 둔감함에서 벗어나기를 기다린다.

단테의 슬픔

돌아온 단테, 작가 단테는 구원의 순례 내내 갈고닦은 비전을 『신곡』에서 펼쳐낸다. 그는 세상의 온갖 일을 몇 가지 원리로 환원하지 않고 개개의 경험을 하나의 범주로 동일화하지 않는다. 대신 태초의 혼돈 자체를 본질로 관조하도록 우리를 이끈다. 그 초대에 응답하기 위해 우리는 사물의 이치를 꿰뚫는 단테의 예지는 물론이고 그가 보여준 슬픔에도 주목해야 한다.

> 한 영혼이 이렇게 말하는 동안
> 다른 영혼은 울고 있었다. 나는 그 애처로움에
> 죽어가는 사람처럼 정신을 잃었고,
>
> 죽은 몸이 쓰러지듯 쓰러져버렸다.
>
> 「지옥」 5곡 139-142

프란체스카"한 영혼"와 파올로"다른 영혼"는 불륜의 죄를 저지른 망령들이다. 단테는 그들의 사연을 듣고 나서 정신이 마비될 정도로 슬퍼 지옥의 차디찬 바닥에 쓰러지고 만다.

'애처로움'으로 번역한 'pietade'는 원래 슬픔의 감정을 의미하는 단어다. 죄를 씻을 기회조차 부여받지 못하여 영원한 저주와 고통의 지하세계에 처박힌 죄인들에게 슬픔은 전혀 어울리지 않는다. 그런데 단테가 그 감정을 느끼다가 못해 기절까지 한 이유는 무엇일까? 그는 불륜을 저지른 죄인들을 지옥에 놓으면서도 죄에 대한 판단은 보류한다. 그 대신 슬픔의 감정을 품어 지옥에 온기를 불어넣는다. 우리는 이런 그의 모습에서 혼란을 느낀다. 하지만 이로써 파올로와 프란체스카의 '사랑'에 대해 한 번 더 생각하게 된다. 단테는 불륜에 슬픔을 느끼는 자신을 거울삼아, 화석화된 사랑이 아니라 기존의 범주를 넘나드는 다양한 모습의 사랑에 대해 다시 생각해보라 권하는 것이다.

우리는 또한 단테가 본 천국이 우리와 관계없는 환희와 기쁨으로 가득 찬 곳이 아님을 생각할 필요가 있다. 그가 만난 천국의 베드로는 영원한 안락에 취해 있지 않고 지상의 불의를 근심하고 염려한다. 이처럼 단테는 천국을 배타적이지 않은 곳으로 묘사했다. 베드로는 단테에게 교회의 부패를 절절히 토로한다.

"하느님의 아들 계신 곳에 비어 있는
나의 자리, 나의 자리, 나의 자리를
세상에서 찬탈한 자가

나의 무덤을 피와 악취의 시궁창으로
만들었으니, 여기 위에서 떨어진
타락한 자가 위안으로 삼는구나
「천국」 27곡 22-27

"찬탈한 자"는 단테가 『신곡』을 쓰던 당시 교황이던 보니파키우스 8세Bonifacius, 1230-1303를 가리킨다. 교회의 반석인 베드로("너는 베드로라 내가 이 반석 위에 내 교회를 세우리니." 「마태복음」 16:18)의 입에서 쏟아지는 "찬탈" "피" "악취" "시궁창" 등의 자극적인 용어를 보면 그의 입을 빌려 보니파키우스 8세를 비판하는 단테의 단호함을 알 수 있다. “하느님의 아들이 계신 곳”이나 베드로의 “무덤”이 놓인 곳은 교황청을 가리킨다. 교황청은 베드로의 순교지였다「천국」 9곡 139-141. 베드로는 보니파키우스 8세가 교회를 피가 넘쳐나고 악취가 진동하는 시궁창으로 만들었고, 이 광경을 목격한 “타락한 자”루치페로에게 천국에서 쫓겨난 스스로를 위로할 빌미를 제공했다고 비난한다. 베드로는 “나의 자리”를 세 번 반복하면서(삼위일체를 환기하면서) 강경하고 분연하게 교회의 부패를 비판한다. 그 목소리는 하늘 전체에 마치 천둥처럼 울린다. 베드로는 죄에서 벗어나 죄를 외면하고 잊어버리는 것이 아니라 죄를 슬퍼하고 죄에 분노하는 천국의 영혼들을 대표한다.

슬픔의 힘은 단테를 인간의 길잡이로 나서게 이끌었다. 단테에게 슬픔은 언어를 윤리적 지평으로 밀고 나가고 언어의 한계를 확장시키는 유력한 힘이다. 단테의 언어는 슬픔과 윤리가 서로 만나는 지점에서 존재한다. 그러나 그런 단테의 언어는 신 앞에서 활력을 잃는다. 천국에 오르자마자 가장 먼저 떠오른 생각은 ‘인간의 초월’trasumanar이고 그와 함께 깨달은 것은 ‘언어의 무력함’ineffabile이기 때문이다.*

인성을 초월한다는 것은 말로서
가리킬 수 없으니,

「천국」 1곡 70-71

* 단테는 『향연』에서도 ‘말로 할 수 없음’
또는 ‘언어의 무력함’을 언급한다.
“언어는 지성이 보는 것을
완벽하게 표현하지 못한다”(『향연』 제3권 제3장 15행).

천국에 막 올라선 그때 이미 단테는 인간 언어의 세계로 돌아가고 싶어졌던 것 같다. 천국의 빛에 휩싸인 채 지옥과 연옥에서 만났던 수많은 죄인, 그들이 자신에게 토해내던 절절한 목소리를 떠올렸던 것 같다. 그는 무엇보다 그들을 슬프게 대하고 슬프게 묘사했던 자신의 언어를 그리워하고 있었다. 슬픔은 그들을 구원하지 못하고 홀로 천국에 오른 무력함을 표상한다. 그러나 이내 그가 본 천국이 지옥과 연옥은 물론 우리가 사는 현세와 결코 분리되지 않은 곳이며 오히려 천국의 행복은 죄에 대해 슬퍼하고 분노하는 힘과 맞물려 생성된다는 것을 깨닫는다. 바로 이것이 단테가 현세로 돌아갈 것을 결심하는 이유다. 단테는 하느님을 향해 곧게 뻗은 길로 홀로 활기차게 나아가는 대신 자신의 여정을 자꾸 스스로 훼방하고 늦춘다. 그러면서 끊임없이 돌아보고 생각하며 캐묻는다. 그리고 자신의 언어에 그 모든 것을 담으려 한다. 그의 언어는 초월의 세계를 이 땅으로 끌어내리는 동시에 이 땅을 초월의 세계로 들어 올리는 분투의 현장이다. 그가 천국에서 목격한 신과 인간의 합일을 이제 이곳 현세에서 그의 문학언어로 실현하고자 한다.

4 동행, 고전이 되는 과정

시든 꽃 위를 날아다니는 나비

우리는 『신곡』이 읽히는 다양한 사회적·역사적 맥락 속에서 오랜 시간에 걸쳐 단테의 순례에 동행해왔다. 단테는 단 일주일 만에 지옥과 연옥을 거쳐 천국의 끝까지 올랐다. 그리고 헤겔이 표현하듯, 시든 꽃 위를 날아다니는 나비처럼 이질적인 세 영역을 연결했다. 그 빈틈없는 연결은 지옥의 흔적을 지닌 채 연옥에 오르고 또 연옥의 기억을 지닌 채 천국에 올랐다는 사실을 의미한다. 또한 천국의 체험을 간직한 채 현세로 돌아와 자신의 놀라운 순례를 기록했다는 점도 기억해야 한다. 단테의 순례에 동행하는 것은 바로 이렇게 내세의 이질적인 경험을 한 몸에 벼리면서 수행한 독특한 순례의 과정이 우리 삶에 어떤 의미가 있는지 되새기는 일이다.

우리가 단테의 순례에 동행하는 일은 그가 쓴 책을 읽는 것에서부터 출발한다. 단테는 흥미롭게도 처음 쓴 책인 『새로운 삶』 제1장 첫 구절과 삶을 마감하면서 마지막까지 손에 들고 있었을 『신곡』의 「천국」 마지막 곡에서, 책을 비유로 사용한다. 사실 책 비유는 그리스와 로마의 고전시대에 쓰인 어느 책에서도 찾기 힘들다. 책은 기독교를 만나 신성화되었다. 기독교 신앙은 곧 책을 믿는 것이었다. 문학에서 책을 비유로 사용한 것은 종이가 유럽에 전해지고 대학이 설립되며 교육이 확대된 12세기 이후였다. 인쇄술 도입으로 책 제작이 이전에 비해 늘어나고 널리 유통되기 시작한 15세기부터는 이런 비유가 부쩍 늘었다. 중세에 책의 이미지가 집적되고 강화되며 확대되는 문턱에 실질적으로 단테가 있었다.*

순례의 종점

휴버트 드레이퍼스Hubert Dreyfus, 1929-2017는 우리의 욕망을 이 세계 안에 이미 주어져 있는 의미들에 맞춰 조율할 수 있다는 것이 『신곡』에 깔려 있는 단테의 근본 생각이라고 말한다.** 꽤 적절하게 핵심을 간파했다. 「천국」의 마지막 33곡에서 알 수 있듯 단테는 신이 우주를 창조했고 신의 얼굴에 우주의 도덕적·영적 의미가 이미 새겨져 있다는 생각 위에서 『신곡』을 썼다. 그러나 인간의 다채로운 욕망을 이미 주어져 있는 고정된 틀에 짜 맞추는 식의 일방통행을 생각하지 않은 것도 확실하다. 마치 원자 속에서 소립자들이 움직이는 양상이 그러하듯, 신의 얼굴에 새겨진 의미는 우리가 그것을 어떻게 보느냐에 따라 바뀐다. 신의 의미는 이미 주어져 있는 동시에 주어져 있지 않다. 우리는 이미 주어져 있는 신의 의지에서 출발하고 그에 의지해 나아가지만, 동시에 그 과정에서 신의 의지는 사라지고 그러다 또다시 나타나기를 반복한다. 그러한 반복은 나선형의 형태로 계속된다.

드레이퍼스가 허무주의시대를 극복하기 위한 '빛'을 단테의 문학에서 찾는 태도는 적절하다. 하지만 더욱 적절한 태도는 신의 얼굴이 우리의 욕망에 따라 존재와 부재를 거듭하고 그 모습을 달리한

* Curtius, Ernst Robert, *European Literature and the Latin Middle Ages*, Tr., by Willard R., Trask, New York: Pantheon Books, 1953.
** 휴버트 드레이퍼스, 김동규 옮김, 『모든 것은 빛난다』, 사월의 책, 2013, 215쪽.

다고 여기는 것이다. 이렇게 단테를 바라볼 때 우리는 그의 문학으로 허무주의에 맞서는 동시에 본질주의적 구조에 고착되지 않을 수 있다. 우리의 욕망이 신의 얼굴에 새겨진 의미에 맞춰 조율되어야 한다면, 욕망을 조율하는 주체는 신이 아니라 바로 우리 자신이 되어야 한다. 따라서 우리의 욕망은 신의 얼굴을 중심으로 하는 원심력에 종속되기보다 나름의 힘으로 중심에 저항하거나 중심과 섞이는 구심력으로 조율된다.

그래서 신의 얼굴에 새겨진 의미의 원천이 우리 외부에 놓여 있고 거기서 우리에게로 날아온다면, 우리는 그것을 내부에 들이고 또한 우리 욕망의 세계를 다시 외부로 날려 보낸다. 조르조 아감벤 Giorgio Agamben, 1942- 이 묘사하듯,* 신의 얼굴은 수많은 인간 얼굴의 시뮬타스simultas다. 신의 얼굴과 수많은 인간의 얼굴이 대등한 관계로 함께 있는 형국이다. 수많은 인간 얼굴의 군상이 형성하는 동시성을 포착할 때, 신의 얼굴이 지닌 진리를 파악하게 된다. 바로 그것이 단테가 천국의 생생한 빛 속에서 봤던 우리의 초상이다. 단테는 천국의 끝, 순례의 종점에서 신이 아니라 인간을 보았다.

여기서 단테를 중세의 마지막 시인으로 부르는 까닭이 분명해진다. 중세의 가을을 산책하던 단테는 중세의 열매를 먹으며 새로운 근대의 씨앗을 뿌리고 있었다. 그 씨앗은 또 다른 미래의 싹을 틔우고 있었다. 같으면서도 다른, 중세적이면서도 근대적인 지평으로 향하는 산책자 단테의 발길은 이미 근대를 넘어선 어디론가 뻗어 있었다. 그래서 우리는 중세의 신성과 근대의 이성 어느 한쪽에 정박하지 않고 둘 사이를 왕복하는 단테를 상상할 수 있어야 하고 동시에 전혀 다른 길로 접어드는 단테도 상상할 수 있어야 한다. 물론

* 조르조 아감벤, 김상운·양창렬 옮김, 『목적 없는 수단』, 난장, 2011, 110쪽.

단테의 행보는 이미 그의 글 속에 쓰여 있다. 하지만 우리의 상상으로 비로소 가동되고 또한 바뀐다는 점을 잊지 말아야 한다. 그것이 단테를 실존의 방식 또는 리얼리즘의 방식으로 읽는 데서 오는 문학적 효과다. 나는 거기서 단테가 진정한 고전 작가로 떠오른다고 믿는다.

5 사랑과 지성의 조화

근대의 끝자락

오랫동안 단테에 관한 글을 쓰면서도 나는 단테가 걸었던 그리고 함께 걷자고 말하던 구원의 길이 어디로 뻗어 있을까 하는 물음을 떨칠 수 없었다. 사실 나는 그 구원의 길에 이미 들어서 있었지만, 이를 깨달은 것은 한참 후의 일이었다. 단테는 구원의 길이 무엇인지 어떤 확고한 답도 제시하지 않았다. 단테의 답을 기다리기보다 나의 답을 찾아나서는 그 길이 바로 단테가 제안한 구원의 길이었다. 그러니 구원의 길에 대한 물음을 떨치지 못한 그 자체가 이미 구원의 길에 들어섰다는 반증이었던 셈이다.

인간의 구원이란 죽음 이후의 행복을 가리키기도 하고 죽음 이전의 행복을 가리키기도 한다. 전자가 신의 은총에 따른다면 후자는 인간의 의지에 따라 성취된다. 중세를 종합하고 근대를 열었다고 평가받는 단테는 인간의 구원을 이 둘 가운데 어느 하나로 한정하지 않고 조화를 추구했다. 기독교 세계관 위에 있었지만 기독교라는 특정 종교에 매달리기보다 종교성이라는 더욱 보편적인 경외의 자세를 권고하면서, 끊임없이 인간으로서의 덕과 지혜를 따르라고 일깨웠다.

나는 근대의 끝자락에 선 우리에게 단테의 오래된 목소리가 더욱 절실하다고 생각한다. 실제로 단테가 직면하고 고민했던 많은 문제는 그가 살았던 시대보다 오히려 오늘날 더 첨예하다. 그가 오늘날에도 유효한 시인이 된 이유는 답을 하기보다 질문을 던지기 때문이다. 또 그 질문이 갈수록 더욱 날 선 모습으로 우리를 엄습하기 때문이다. 이미 수백 년 동안 신에게서 멀어져 살아온 지금, 단테의 목소리는 인간이 당면한 문제를 스스로 풀어가는 주체이고, 주체로 서기 위해서라도 신을 의식해야 한다는 점을 일깨워준다.

고대와 중세의 현자들이 가르쳐준 대로 단테는 진정한 행복이 삶의 목표라고 생각했고, 그것은 신을 찾는 과정 그 자체라고 생각했다. 인간은 신을 찾아낼 수 없다. 설령 찾아낸다 하더라도 그 순간 인간은 인간이 아니고, 그때 구한 행복은 '인간의 행복'이 아니라 '신의 행복'이기 때문이다. 따라서 인간의 행복은 신을 찾아나서는 바로 그 여정을 지속하는 한에서, 그 미완의 과정 자체로 확보되고 이어진다.

새로운 프로메테우스의 불꽃

인간의 지성은 인간이 신을 찾는 데 필수불가결한 요소다. 『신곡』에서 단테는 천국의 꼭대기에서 하느님을 찾아낸 순간, 그 순간과 그 존재를 설명하지 못하는 무력함을 호소한다. 이는 지성이 충분히 발휘되지 못하는 상태이며 자신을 그곳까지 끌어준 지성의 힘이 소진되어버린 상태를 가리킨다. 그런데도 그는 마지막까지 남은 지성의 힘을 쥐어짜낸다. 원을 측량하려 하지만 실패하고마는 수학자의 비유로 그는 자기가 만난 신의 모습을 언어로 전달하지 못하는 형국을 알리려 한다.

원을 측량하기 위해 완전히 몰두하는
기하학자가 생각을 거듭해도 자신에게

필요한 그 원리를 찾지 못하는 것처럼,

저 새로운 모습에 내가 그러했다.
나는 이미지가 원에 어떻게 들어맞는지,
어떻게 거기 자리 잡았는지 보고 싶었는데,

하지만 내 날개는 그에 닿지 않았으니,
내 정신이 어떤 광채에 흔들려
그 원하는 것을 이루지 않았더라면.

「천국」 33곡 133-141

단테는 신을 보지도, 묘사하지도 못하는 상태를 전달하기 위해 원을 비유로 든다. 한 점을 기준으로 똑같은 거리에 놓인 점들의 집합이라는 정의에 따를 때 원은 자체의 본성 속에서 고귀하게 존재한다. 단테는 그가 본 신의 이미지가 인간이 상상할 수 있는 가장 완벽한 도형에 어떻게 들어맞는지 보고자 했지만, 자신의 능력으로는 불가능함을 깨닫는다. 그러나 그 찰나 어떤 광채가 그의 정신을 뒤흔들어 불가능을 가능으로 바꾼다. 그 광채는 사랑이었다.

위에 이어지는 『신곡』의 마지막 구절은 아래와 같다.

여기서 높은 환상은 힘을 잃었다. 하지만
이미 나의 소망과 의지는, 똑같이
움직이는 바퀴처럼, 태양과 다른 별들을
움직이시는 사랑이 돌리고 있었다.

「천국」 33곡 142-145

단테의 환상은 숭고하고 뛰어나지만 정신이 광채에 흔들려 원하는 것을 얻는 순간 힘을 잃고 만다. 그리고 그 힘을 대신하는 것은 소망과 의지라는 것을 깨닫는다. 그의 소망과 의지는 자기도 모르는 사이에 이미 처음부터 작동하고 있었고, 추진의 동력은 언제나 사랑이었다. 그러나 사랑은 신과 등가물이 아니다. 신과 등가물은 시인의 소망, 즉 신의 은총으로 향하고자 하는 소망이다. 그리고 시인의 의지는 그 소망을 떠받치고 실현하게 하는 지성이다. 은총과 지성은 수레의 두 바퀴처럼 완벽한 조화로 움직이면서 사랑을 실현한다. 사랑이 은총과 지성을 돌리는지 은총과 지성이 사랑을 실현하는지 전후관계는 중요하지 않다. 은총에 부응하는 지성은 그 자체로 곧 사랑이기 때문이다.

은총과 지성은 지옥에서 분리되고「지옥」 1곡 28-30, 연옥에서 그곳 참회자들이 해결해야 할 문제이며「연옥」 17곡 127-129, 18곡 61-75, 천국에서 완벽한 조화에 이른다. 단테는 자신의 서사시, 즉 '코메디아' Comedia를 신과 인간의 합일이라 부르면서 그 둘의 조화를 구원의 궁극으로 생각했다.* 그런 그가 인간으로서 할 수 있는 일은 지성을 발휘해 은총을 실현하는 일이다. 요컨대 그가 지옥과 연옥을 거쳐 천국으로 오르며 은총을 실현하는 힘은 그의 지성에서 나온다. 지

* 단테가 자신의 강력한 후원자였던 칸 그란데 델라 스칼라(Cangrande della Scala, 1332-59)에게 보낸 편지에서 자기 스스로 붙였다고 밝힌 라틴어 제목은 "*Incipit Comedia Dantis Alagherii, Florentini natione, non moribus*"이다. 이는 '평판이 아니라 태생으로 피렌체인인 단티스 알라게리가 코메디아를 시작하다'라는 뜻이다. Alighieri, Dante, *Lettere a Cangrande* 13곡 10; A Translation of Dante's Eleven Letters. ed., by Charles Sterrett Latham. Boston and New York: Hughton Mifflin Company, 1891, p. 196.

성은 지옥의 꽁꽁 얼어붙은 바닥에서 마주친 절대적인 침묵, 반反지성이 지닌 부동의 어둠과 대비된다.

> 그 말에 몸을 돌리자 앞에 광경이 보였는데,
> 발밑에 호수가 얼어붙어 흡사
> 물이 아니라 유리처럼 보였다.
>
> 「지옥」 32곡 22-24

지성은 인간의 정체성을 이룬다. 원래 인간은 지옥으로 가야 할 존재가 아니라 천국에 올라야 할 존재가 아닌가. 그래서 사랑은, 그것이 신의 사랑이든 인간의 사랑이든, 천국에 오르는 인간을 감싸 안으면서 처음부터 지성의 힘을 부여하고 견지하는 근원이다. 중세와 근대의 결합, 신을 경외하면서 인간의 가능성을 추구하려는 조절의지가 지성을 이룬다. 이 지성은 사랑에서 나온 것이기에 차갑지 않다. 오히려 도덕과 영혼의 부족함을 메우는 새로운 진화의 방향을 보여준다. 이는 프로메테우스의 불꽃을 새롭게 태우는 것이다.

사랑이 널리 펼쳐내고 지성이 멀리 좇아가는 구원의 길을 표현하고 둘의 소통을 꾀한 것이 철학자이자 시인인 단테가 『신곡』을 쓰는 방식이었다. 그의 알레고리 언어 뒤편에는 기존의 의미를 넘어서서 무한대로 파생될 심층의 의미가 존재한다. 그가 추구한 신성과 세속의 교차는 어느 한쪽으로 확고하게 나아가기보다 둘 모두에 스며든다. 그가 겪은 순례는 순례 이전과 이후가 서로를 조응하는 성찰의 나르시즘이었다. 단테는 자신의 목소리를 죽이고 대신 자신이 써내려간 언어가 언어 자체에 대해 말하도록 했고, 물감이 캔버스 안으로 스며들면서 색채를 발산하듯 천국의 빛이 색으로 물드는 풍경을 묘사했다. 그렇게 늘 한 발 물러나 자신의 삶과 세계 그리고 그 풍경 속에 들어앉은 자신을 관조했다.

단테 문학의 보편성은 타자에 대한 감수성에서 나온다. 그의 문학은 타자를 배제하지 않고 포용하는 진정한 보편성의 차원에서 발산된다. 단테의 문학이 고전이라 불린다면 그것은 당면한 어떤 시대의 특수한 사회적·역사적 맥락에도 부응하는 인간 보편의 문제를 던지기 때문이며, 그 깊은 목소리가 우리 시대에 더 둔중하면서도 다채롭게 울려 퍼지기 때문이다.

6 단테의 시대

『신곡』의 생명력

『신곡』은 세계문학사에 단연 우뚝 솟아 있는 작품이다. 거의 700년 전에 이탈리아어로 쓰인 한 권의 서사시이지만 시공간을 가로질러 21세기의 전 세계에서도 읽힌다. 유럽에 인쇄술이 본격적으로 보급되기 전 『신곡』은 필사본으로 유통되었고, 그 속도는 거의 『성경』과 맞먹을 정도였다. 이후에도 부침은 있었을지언정 국가와 장르의 경계를 넘어 양적·질적 팽창을 거듭했다. 서구에서 그동안 축적된 단테 연구는 다른 고전 작가들에 대한 어떤 연구와도 비교될 수 없을 정도다.

『신곡』은 단 하나의 목소리를 지니면서도 시공간을 초월해 매번 다른 방식의 지각知覺과 표현을 창출했다. 그 초월성은 수많은 예술가가 『신곡』의 여러 장면과 인물을 재창조한 역사에서 알 수 있다. 지난 700년 동안 원문에 대한 새로운 주해가 끊임없이 생겨났고, 그 모든 주해에 대한 새로운 해석이 꼬리를 물었으며, 또 그들을 조합하는 새로운 방식이 계속 파생되었다. 『신곡』은 이처럼 중첩된 재창조의 총합이다. 재창조의 목록은 계속 늘어날 것이고 『신곡』은 언제까지라도 미완의 상태로 남아 있을 것이다.

단테에 접근하는 경로는 무수히 많다. 그의 글은 다채로운 주제에 관해 생각하게 하며, 그 주제들은 하나의 예외도 없이 서로 연결되면서 단테를 구성한다. 그러나 다양한 주제가 하나로 수렴되는 궁극의 장소 같은 것은 존재하지 않는다. 다시 말해 '그렇다면 단테는 이러이러한 것이 아니냐' 하는 식으로 요약할 수 없다는 말이다. 단테는 단테에게 접근하는 과정 그 자체로 존재한다. 우리가 단일 주제로 단테의 세계에 접근한다고 해도 결국에는 모든 주제와 만나게 된다. 반복하자면, 모든 주제가 전부 수렴되는 어떤 한 지점은 없다. 다만 그것들이 산발해 전개되는 과정만 있을 뿐이다. 그렇다면 단테 연구는 언제 끝나는가? 끝나지 않는다. 잠시 쉬거나, 놓거나, 잊을 뿐이다.

비서구성이라는 토대

단테에 대한 연구는 주로 서양에서 천착했다. 정확히 말해 서양에서 근대에 들어 단테 연구는 한눈에 들여다보기 힘들 정도로 깊어지고 쉬이 둘러보지 못할 만큼 넓게 퍼져나갔다. 근대 서양의 성취를 배우는 것도 우리에게는 벅찬 일이거니와 더욱이 그들을 넘어서는 새롭고 독창적인 해석을 제시하는 일은 요원하게만 느껴진다. 하지만 우리에게는 비서구성이라는 독특한 토대가 있다.

일찍이 아시아에서 단테는 서양 근대문명의 한 표상이었다. 일본은 메이지유신 이후 서양 근대문명을 이입하여 아시아에서 서양의 자리를 대신하려는 욕망을 제국주의로 불태웠다. 단테 연구는 그런 욕망의 한 지표였다. 일본에서 단테 연구는 열 권으로 이루어진 『단테전집』이 발간된 1921년 정점에 달했고, 이후 새로운 번역과 주석, 해설작업이 활발하게 이어졌다. 단테 연구의 성과물은 식민지였던 조선에 거의 실시간으로 보급되었다. 일본의 단테 연구는 1945년 패망과 함께 한순간에 사그라들었지만, 이후 다시 부활했고, '단테협회' '단테포럼' 같은 활동을 이어가고 있다.

우리는 『단테전집』은커녕 적잖은 글을 아직까지 번역조차 못 했다. 어쩌면 서양 근대문명에 대한 이해가 일본에 비해 한 세기쯤 늦었다는 생각도 든다. 사실상 지난 세월 서구 중심으로 진행된 단테 연구의 어느 한 자락도 우리에게 제대로 닿지 못한 것이다. 그래도 우리에게는 앞선 연구자의 성취를 받아들이면서 부족한 부분을 메우고, 또 다른 방향의 변용을 추구할 수 있는 기회가 있다. 비서구성을 서구를 배제하고 극복하는 서구의 대체물로 여기기보다는 서구와 비서구를 서로 견뎌야 할 타자로 여기면서 서로를 가로지르게 하는 토대로 활용해야 한다. 단테의 글은 뛰어난 감수성으로 타자의 목소리에 공감하고 응답한다. 단테를 제대로 읽는 것은 유럽적 보편주의와 유럽 중심주의 같은 가짜 보편성이 아니라, 단테 곁에 있는 진정한 차원의 보편주의를 들여다보고 꺼내서 여러 맥락에 비춰 견줘보는 일이다.

같은 측면에서 단테는 자신에 대한 접근이 통합적일 것을 요구한다. 단테는 문학, 철학, 정치학, 신학, 언어학 그리고 자연과학 등 여러 분야에서 고대와 중세를 섭렵했으며 논리와 감성을 교차하는 형식으로 인간 지식에 대한 놀라운 통찰을 보여주었다. 바로 이런 이유 때문에 그의 지적 세계는 그동안 다양한 창조적 매체로 재구성되었다. 이 모든 것의 총합이 단테의 세계다. 따라서 단테는 어떤 하나의 분과학문으로 한정해 연구하기 힘들다. 단테는 근대 분과학문 체제를 넘어선 곳에서 우리를 기다린다. 그런 단테에게 다가가기 위해 필요한 것은 그의 글에 대한 정치적 읽기와 비판적 성찰이다. 그 둘은 사실상 인문학의 본령本領이 아닌가.

'단테의 시대'는 계속되고 있다. 그것은 단테가 제기했던 물음에 우리가 여전히 대답을 이어가기 때문이다. 단테는 르네상스라는 새로운 인간의 문명을 준비한 사람이었지만 중세라는 오래된 신의 문명을 이어간 사람이기도 했다. 인간의 근본 문제를 안고 씨름했던 그에게 무엇보다 중요했던 것은 세상에 대한 경외였다. 강한 의지는 인간의 본질로 유전자에 아로새겨져 있지만, 단테는 그 의지를 조절할 줄 아는 덕의 필요성을 강조했다. 인간이란 무엇이고 무엇을 해야 하는지에 대한 문제가 그 어느 때보다 절박하게 떠오르는 현재 상황에 맞춰 또 다른 진화, 또 다른 르네상스를 모색하는 우리 곁에 단테는 오롯이 서 있다.

2부

기원의 목소리

말할 준비가 된 얼굴들이 그리 보였으니

「천국」 3곡 16

1 물질로서의 책

자서전적 알레고리

'『신곡』은 무엇인가'라는 물음을 이미 존재하는 객체로서의 『신곡』을 찾아보라는 주문으로 여길 필요는 없다. 『신곡』의 본질은 정해져 있지 않으며 그 본질을 새롭게 세워서 제시해야 하는 것도 아니다. 『신곡』은 그것을 읽는 사람에게 하나의 사건으로 존재한다. 그래서 『신곡』은 읽는 사람마다, 읽을 때마다, 다른 얼굴로 나타난다. 무릇 모든 뛰어난 문학작품은 하나이면서 여럿인 방식으로 존재하며, 독자는 이를 일종의 사건처럼 받아들인다. 독자는 작품을 읽기 전의 세계로 돌아갈 수 없다. 삶의 결이 바뀌기 때문이다. 또한 그 작품이 사회적·역사적 맥락에 따라 발산하는 의미는 거의 무한대로 뻗어나간다. 뛰어난 문학이 우리 곁에 오래 남는 방식이다.

『신곡』은 우리에게 길을 제시하기보다 스스로의 길을 찾아보라고, 별을 가리키기보다 각자의 별을 만들라고 말해준다. 『신곡』은 우리에게 사랑, 구원, 정의, 공동체 같은 근본적인 물음을 끊임없이 던지는 동시에 우리가 그런 물음을 스스로에게 던져보라고 권유한다. 그래서 우리는 『신곡』의 「천국」 마지막 곡을 읽으면서도 종착지에 다다랐다는 기쁨에 안도하지 못한다. 대신 이제 비로소 나의 길이 저편에 놓여 있으며 그리로 다시 먼 여행을 떠나야 한다는 설렘과 두려움에 젖어 주변을 둘러보게 된다. 마치 어두운 숲에서 빠져

나와 언덕 위의 저 별을 향해 오르려다가 세 짐승에게 가로막힌 단테가 그 긴긴 여정을 막 시작할 때의 심정과 비슷하다.

날은 저물어가고, 어둑한 하늘은
땅 위의 생명들을 그 고달픔에서
놓아주고 있는데, 나 하나 홀로

나아갈 길, 연민과 치를 전쟁을
준비하고 있었으니, 그르침이
없는 정신은 이들을 말해주리라.

「지옥」 2곡 1-6

해가 저물어 모두 휴식을 취하는데 힘들고 슬픈 길을 떠나야 하는 단테의 힘겨움과 외로움이 잘 표현되어 있다. 우리는 그의 심정을 확연하게 느낄 수 있다. 단테는 속마음을 털어놓는 방식으로 우리를 자신의 순례에 참여하게 한다. 슬픔과 치르는 전쟁이란 순례자가 앞으로, 특히 지옥과 연옥에서 겪게 될 상심을 극복하기 위해 벌여야 하는 감정과 정신의 싸움을 가리킨다. 『신곡』은 내세를 여행한 기록이지만 사실은 파란만장한 삶을 살았던 단테의 내적 변화를 비유적으로 묘사한 것이다. 많은 비평가가 『신곡』을 단테의 '자서전적 알레고리'라고 부르는 이유가 여기에 있다. 그만큼 『신곡』은 단테의 실존이 묵직하게 느껴지는 책이다.

『신곡』의 세 가지 형태

나는 『신곡』을 세 가지 형태로 생각해본다. 첫째, 작가가 직접 손으로 써내려간 육필원고, 둘째, 그것을 필사 또는 인쇄한 책, 셋째,

독자가 그 원고와 책, 또는 어느 하나를 읽으며 의미를 부여하는 대상으로서의 텍스트다. 앞의 두 형태는 문자와 종이로 구성된 물질이고, 마지막 형태는 무형, 즉 눈에 보이지 않는 어떤 장치나 회로 같은 것이다.

단테도 비슷하게 구분할 수 있다. 첫째, 자신의 내면을 표현하거나 재현하는 창작가, 둘째, 종이에 손으로 글을 쓰는 필사가, 셋째, 독자에게 해석될 대상으로서의 텍스트[장치]를 남긴 작가다. 이 책에서 내가 주로 추적하려는 단테는 필사가로서의 단테이고, 탐사하려는 『신곡』은 필사본이며, 그와 연결해 역할을 가늠해보려는 존재는 『신곡』을 손에 들고 있는 독자다. 셋 다 물질로서의 책과 관련된다. 하지만 이런 방향의 접근이 지금까지(구조주의 등장 이전까지) 문화적 특권을 누려온 작가의 중심적 위치를 재확인하는 작업은 결코 아니다. 그보다 손으로 쓴다는 육체적 행위, 행위의 결과물인 물질로서의 책 그리고 그 책을 소리 내서 읽는 행위가 문학 과정(literary process, 작가와 독자와 텍스트 사이에서 일어나는 순환 과정)에서 어떤 의미를 지니는지 살펴보고, 텍스트에 대한 독자의 해석과 가치평가에 어떤 영향을 주는지에 초점을 맞추고자 한다. 요컨대 책을 읽는 방식을 『신곡』의 구술적 성격을 통해 근본적으로 다시 생각해보려 한다. 인쇄된 책을 눈으로만 읽는 행위에 익숙한 오늘날의 독자에게 퍽 낯선 주제일 수 있다.

우선 육필원고와 필사본 또는 인쇄본의 차이에 대해 생각해보자. 하나밖에 없는 육필원고는 아무리 보존을 잘한다고 해도 불가피하게 글자는 휘발하고 종이는 썩어 사라진다. 반면 필사본은 필사를 계속하는 한, 인쇄본은 인쇄를 계속하는 한 그리고 인간이 문자문명을 이루고 살아남는 한, 유지된다. 텍스트라는 무형의 장치 역시 독자가 육필원고나 필사본 또는 인쇄본을 읽는 한에서 계속 가동

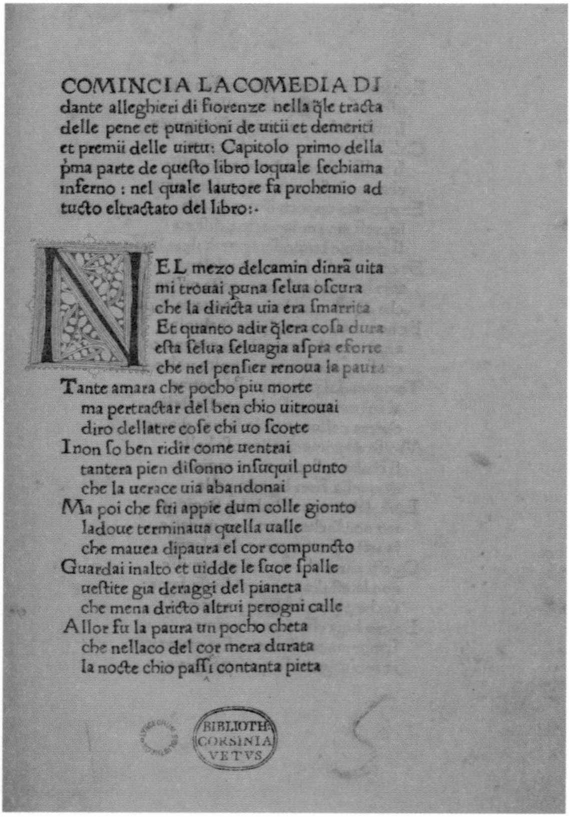
COMINCIA LACOMEDIA DI
dante alleghieri di fiorenze nella qle tracta
delle pene et punitioni de uitii et demeriti
et premii delle uirtu: Capitolo primo della
pma parte de questo libro loquale sechiama
inferno : nel quale lautore fa prohemio ad
tucto eltractato del libro:·

NEL mezo delcamin dinrã uita
mi trouai puna selua oscura
che la diricta uia era smarrita
Et quanto adir qlera cosa dura
esta selua seluagia aspra eforte
che nel pensier renoua la paura
Tante amara che pocho piu morte
ma pertractar del ben chio uitrouai
diro dellatre cose chi uo scorte
Inon so ben ridir come uentrai
tantera pien disonno insuquil punto
che la uerace uia abandonai
Ma poi che fui appie dum colle gionto
ladoue terminaua quella ualle
che mauea dipaura el cor compuncto
Guardai inalto et uidde le suoe spalle
uestite gia deraggi del pianeta
che mena dricto altrui perogni calle
Allor fu la paura un pocho cheta
che nellaco del cor mera durata
la nocte chio passi contanta pieta

『신곡』의 첫 번째 인쇄본.
1472년 4월 11일 이탈리아의 소도시 폴리뇨에 사는
요하네스 노이마이스터(Johannes Neumeister, ?-1512)가
『신곡』의 첫 번째 인쇄본을 제작했다.
'단테 알리기에리의 코메디아'라는 제목이 붙었으며
현재는 12권만이 전해진다.

된다.

그런데 이 중 작가의 몸에서 나오는 목소리를 가장 잘 담고 있는 것은 육필원고다. 필사본이나 인쇄본도 작가의 목소리를 전하기에는 부족함이 없지만, 육필원고가 담고 있는 작가의 흔적은 결코 대신할 수 없다. 한편 육필원고와 필사본 차원보다 텍스트 자체의 차원에서 독자가 더 적극적으로 자신의 해석을 내놓을 수 있다. 육필원고나 필사본 또는 인쇄본에서 두드러지는 작가의 아우라는 텍스트 차원에 놓이는 순간 여러 독자의 각기 다른 아우라와 함께 섞인다.

구술되는 『신곡』

『신곡』은 하나의 물질인 책으로 존재해왔고 지금도 우리 앞에 그렇게 놓여 있다. 『신곡』이 출간될 당시에는 여러 필사가가 손으로 직접 베껴 쓴 필사본의 형태로 유통되어서 수량이 제한되어 있었다. 그뿐 아니라 글을 읽지 못하는 사람도 많아서 그나마 『신곡』을 앞에 놓고 읽을 수 있는 사람은 몇 없었다. 인쇄술이 보급된 15세기 중반에 이르러서야 인쇄본 『신곡』이 본격적으로 퍼져나가기 시작했다.

그러나 그 이전에 적어도 150년이 넘는 시간 동안 『신곡』은 입에서 입으로 활발하게 전파되었다. 눈으로 보는 것과 관련된 문자성(literacy, 문자를 읽고 쓸 줄 아는 능력)보다 입으로 말하고 귀로 듣는 구술성(orality, 문자 대신 말로 이루어지는 사고와 표현)이 『신곡』이 퍼져나가는 유력한 경로였다. 문자를 해독할 줄 모르는 당나귀 몰이꾼까지 단테의 칸초네canzone를 소리 내 읊을 정도였다.* 이런 식으로 단

* 야코프 부르크하르트, 이기숙 옮김, 『이탈리아 르네상스의 문화』,

테 당시 작가의 글이 보급되는 형태는 문자보다 구술이 더 주된 경로였다.

여기에서 우리는 『신곡』을 쓰는 단테가 시각보다 청각을 더 많이 고려했으리라 추측할 수 있다. 더욱이 단테는 『신곡』이 더 많은 사람에게 다가가기를 바랐다. 철학서 『향연』에서 거듭 강조하듯,* "많은 사람"이라는 용어는 단테를 이해하는 데 대단히 중요하다. 그는 가능한 한 많은 사람을 구원하고 계몽하고자 했던 실천적 지식인이었다. 단테는 『신곡』이 전파범위가 제한된 문자성보다 구술성으로 널리 퍼져나가는 모습을 진지하게 그려봤을 것이다.

이 추측을 강력하게 뒷받침하는 예가 운율과 리듬이다. 운율과 리듬은 입으로 소리 내고 귀로 들을 때 훨씬 더 큰 효과를 발휘한다. 『신곡』은 시어가 지니는 운율과 리듬이 대단히 정교한 설계에 따라 짜인 거대한 운문복합체다. 전체 1만 4,233행을 완벽한 삼연체기법과 십일음보형식으로 지탱한다.** 삼연체기법은 단테가 이전의 운문 형식을 응용해 고안한 압운押韻체계로, 이후 프란체스코 페트라르카 Francesco Petrarca, 1304-74와 보카치오가 이어받아 사용했다. 단테는 이 새로운 시 형식의 기법을 갈고닦는 데 오랜 시간을 보낸 듯하다.

한길사, 2003, 276쪽. 사실 이 대목은 14세기 초반 피렌체에서 글을 읽을 줄 아는 식자층이 크게 늘었다는 점을 말하는 맥락에서 쓰였다. 이들은 훗날 인문주의의 홍수 속에서 매몰되어버린, 독자적이고 이탈리아의 색채가 강한 문화의 싹을 담당했다. 한편 당나귀 몰이꾼들의 예에서 보듯, 구술로 하는 소통이 이탈리아 고유의 색채에 이바지하는 면도 있었을 것이다.

* Alighieri, Dante. *Convivio.* Milano: Garganti, 1980, 제1권 제8장 2행, 제1권 제9장 4행과 7행

** 이 책의 제1부 제2장 참조할 것.

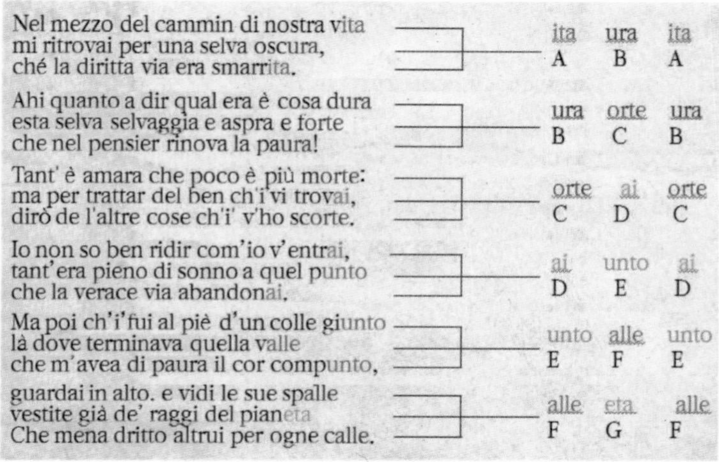
Nel mezzo del cammin di nostra vita
mi ritrovai per una selva oscura,
ché la diritta via era smarrita.
ita ura ita
A B A
Ahi quanto a dir qual era è cosa dura
esta selva selvaggia e aspra e forte
che nel pensier rinova la paura!
ura orte ura
B C B
Tant' è amara che poco è più morte:
ma per trattar del ben ch'i' vi trovai,
dirò de l'altre cose ch'i' v'ho scorte.
orte ai orte
C D C
Io non so ben ridir com'io v'entrai,
tant'era pieno di sonno a quel punto
che la verace via abandonai.
ai unto ai
D E D
Ma poi ch'i' fui al piè d'un colle giunto
là dove terminava quella valle
che m'avea di paura il cor compunto,
unto alle unto
E F E
guardai in alto. e vidi le sue spalle
vestite già de' raggi del pianeta
Che mena dritto altrui per ogne calle.
alle eta alle
F G F

『신곡』의 운율구조.
단테는 『신곡』의 심오하고 복잡한 내용을
정교하고 치밀한 압운과 운율구조에 담아냈다.
단테는 한 연을 모두 3행으로 구성하고
각운을 엇갈리게 세 번씩 반복하는 삼연체기법과
한 행을 11음절로 유지하되 넷째, 여섯째, 열째
음절에 강세를 두는 십일음보형식을 사용했다.

『신곡』의 치밀하고 완벽하게 직조된 형식은 감탄을 자아낸다. 또한 『신곡』을 소리 내어 읽으면 발음과 청음清音에서 감칠맛을 느낄 수 있고 계속 이어지는 청각사슬의 효과가 내용을 거듭 반추하고 기억하게 한다. 특히 삼연체기법은 삼위일체의 상징성도 있지만, 소리 내 읽으면서 앞을 향해 나아가는 실질적인 움직임을 더욱 돋보이게 한다. 한 행을 읽으면 다음 행이 늘 대기하고 있고, 그 이전 행은 다음 행에 딸려 나온다는 느낌을 준다. 단테는 순례길에서 수많은 인물을 만나고 사건을 겪는데, 삼연체기법은 이전의 만남에 이어 다음 만남을 예견하는 효과를 낸다. 『신곡』은 눈으로 읽는 책이 아니라 입으로 소리 내어 발화하고 귀로 들으면서 눈앞에 광경을 떠올리는 시청각 텍스트에 가깝다. 『신곡』이 처음 나왔을 당시의 독자들은 『신곡』에 이렇게 접근하면서 본연의 맛을 훨씬 제대로 즐길 수 있었을 것이다. 서양에서는 지금도 여전히, 마치 우리의 경우 판소리를 완창하듯, 『신곡』 전체를 암송해 청중에게 들려주는 일이 드물지 않다.

라틴어 대신 선택한 속어

이렇게 구술의 형태로 존재하는 『신곡』을 상상하는 일은 『신곡』을 제대로 음미하는 데 대단히 중요하다. 하지만 오랫동안 문자에 익숙해진 우리는 문자의 형태로 존재하는 『신곡』을 훨씬 더 자연스럽고 당연하게 느낀다. 소리 내어 읽고 듣는 『신곡』보다는 눈으로 읽는 『신곡』이 더 편하다는 말이다. 물론 『신곡』은 오랜 기간 구술되다가 문자로 정착한 호메로스의 서사시와 달리, 단테 자신이 처음부터 문자로 기록한 책으로 나왔다. 그러나 『신곡』은 '구텐베르크의 은하계'가 펼쳐지기까지 적어도 백수십 년 동안 필사본으로 유통되었고, 단테가 사용한 문자가 당대 중앙의 보편언어였던 라틴어가 아니라 토스카나 속어였다는 점도 생각해야 한다.

단테가 처했던 언어환경은 한마디로 과도기였다. 로마제국의 라틴어는 제국의 멸망과 함께 중세 수백 년에 걸쳐 꾸준하게 오염되고 무질서해졌다. 이런 현상은 글쓰기보다 말하기에서 더욱 두드러졌다. 라틴어가 오랜 세월 겪은 말의 무질서는 유럽의 여러 지역마다 고유하게 유통되던 속어가 각 지역의 공식언어로 굳어지는 과정을 거치면서 마침내 말은 물론이고 글에서도 라틴어를 대체하는 일로 이어졌다.

단테는 476년 서로마가 멸망한 이후 거의 8세기가 넘게 흐른 시대에 살았다. 그 시절에는 이미 속어가 라틴어를 대체할 정도가 되었고 언어로서 구체적인 체계를 거의 완성해가고 있었다. 그런 환경에서 단테는 라틴어와 속어를 모두 구사하는 이중언어 사용자 bilingual의 경험을 하게 된다. 단테는 라틴어를 고수하는 보수가치의 신봉자가 아니라 새롭게 떠오르는 속어의 가능성을 추구한 진보지식인이었다. 그는 라틴어와 속어 가운데 속어를 선택해 『신곡』을 썼다. 그의 선택은 대충 그냥 넘길 사안이 아니다. 라틴어 대신 속어를 선택한 것은 실천적 지식인 작가로서 단테의 정체성을 집약하는 사건이었다.

무엇보다 속어로 『신곡』을 쓴 것은 살아 있는 언어가 지닌 구술의 기능을 충분히 살리기 위해서였다. 학습된 언어로서 라틴어는 문자에 국한되어 죽은 언어가 되고 있었다. 단테는 당시에 더 많은 사람을 이어주는, 실질적인 소통매체인 구술 이탈리아어로 『신곡』을 쓰며 라틴어를 읽을 줄 모를 뿐 아니라 문자 이탈리아어에 익숙하지 않은 많은 사람에게 이 작품이 파고들어 퍼져나가기를 바랐다. 단테가 『신곡』의 언어로 토스카나 속어를 선택한 것은 필연적으로 구술성과 불가분의 관계에 있다.

2 작가와 독자

독자의 존재

우리는 『신곡』을 실제 무게와 형태를 지닌 물질로서의 책으로 여긴다. 이 책을 손에 들거나 책상 위에 놓아두고 거기에 인쇄된 문자를 읽는 것이다. 그러면서 그 문자에서 터져 나오는 소리, 그 문자가 눈앞에 투사하는 영상, 그 문자가 우리의 머릿속에서 빚어내는 개념을 경험한다. 독자인 우리가 느끼는 물질-책으로서의 『신곡』은 우리의 상상을 대단히 적극적으로 자극한다 그 순간에 물질-책은 텍스트가 된다. 독자가 없는 텍스트는 아무 의미도 지니지 못한다는 (포스트)구조주의적 태도는 새롭지 않지만 특히 『신곡』은 다른 문학작품에 비해 독자의 경험이 작품의 존재 유무를 결정하는 필수불가결한 요소다.

이런 관점은 설득력이 있다. 단테가 자신의 순례를 지극히 개인적인 사건으로 여기면서도 독자를 동반해 그를 또 다른 순례자로 만들려는 공적인 의도를 『신곡』 전체에서 적극적으로 내보이기 때문이다. 순례는 자신을 되돌아보는 길이다. 우리는 『신곡』의 곳곳에서 함께 길을 걷자는 순례자 단테의 목소리를 들을 수 있으며,*

* 독자를 부르는 대목은 다음과 같다. 「지옥」 8곡 94-96, 9곡 61-63, 16곡 127-132, 20곡 19-24, 22곡 118, 25곡 46-48, 34곡 22-27; 「연옥」 8곡 19-21, 9곡 70-72, 10곡 106-111, 17곡 1-9, 29곡 97-105, 31곡 124-126, 33곡 136-138;

그 목소리가 그의 여러 다른 책에서 권력『제정론』과 언어『속어론』, 지식『향연』 같은 '세속적인' 주제로 변주되고 있음을 확인할 수 있다.

텍스트로서의 작품

우리는 보통 문학을 인쇄된 책으로 접한다. 물론 강연회처럼 작가의 목소리를 직접 듣는 경우도 있지만, 대부분 각자 책을 손에 들고 읽으면서 저마다의 길과 저마다의 해석으로 작가의 세계를 방문한다. 그렇게 독자의 맥락이 더욱 적극적으로 개입하고 독자의 해석에 따라 새로운 의미를 계속 부여하는 방식으로 책을 읽을 때 그 책은 텍스트가 된다. 작가는 책을 완성하는 순간 죽어야 하며 그 책에 대한 권리가 없다는 롤랑 바르트Roland Barthes, 1915-80나 미셸 푸코Michel Foucault, 1926-84의 생각*은 텍스트의 개념을 잘 받쳐준다. 독자

「천국」 2곡 1-18, 5곡 109-114, 10곡 7-27, 13곡 1-21, 22곡 106-111.
『신곡』 전체에서 이렇게 독자를 텍스트 구성에 초대하는 장면은 「지옥」과
「연옥」에서 일곱 번, 「천국」에서 다섯 번 나온다.
그런데 「천국」의 제9곡 10-12를 독자를 부르는 장면으로 분류하고
그에 더해 제10곡 7-27을 7-15와 22-27로 분리한다면
「천국」에도 일곱 번 나온다고 할 수 있다. 각 편에서 일곱 번씩
독자를 초대한다는 것은 작가의 어떤 강한 의도가 깃든 것으로 생각된다.
단테는 3과 7 그리고 그 둘을 더한 10에 어떤 상징적인 의미를 부여했으며,
그런 흔적을 『신곡』이나 『새로운 삶』 곳곳에 남기는 수비학적 면모를 보여준다.

* 바르트의 언급("텍스트는 그 모든 단계에서 작가가 부재하는 방식으로
만들어지고 읽힌다." Barthes, Roland, "The Death of the Author" (1968),
Lodge, David, ed., Modern Criticism and Theory: a Reader,
London and New York: Longman, 1988, pp. 167-171, p. 169;
"독자의 탄생은 작가의 죽음을 대가로 치러야 한다." *ibid.*, p. 172)이나
푸코의 확신("작품은 작가를 죽일, 작가의 살해자가 될 권리를 소유한다."
Michel Foucault, "What is an Author?", in Harari, Josué V., ed.,
Textual Strategy: Perspectives in Post-Structuralist Criticism,
NY: Cornell University Press, 1979, pp. 141-160, p. 142)을 참조할 것.

는 텍스트라는 장치 속에서 작가와 협업해 자신의 맥락에 맞게 다양하게 해석한다. 우리는 자기 맥락에 맞춰 책을 해석하는 독자의 권리가 강화된 세상에서 살고 있다.

하지만 여전히 우리는 작가의 의도를 알고 싶어 한다. 단테는 어떤 생각을 했을까? 느낌을 표현하기 위해 어떤 단어를 어떤 리듬으로 전달하려 했을까? 『신곡』이란 무엇인가 하는 질문에 독자의 의도가 우세한 텍스트 개념을 떠올리기보다는 단테가 직접 펜을 쥐고 써내려간 육필원고를 대하고 싶은 마음이 불쑥 일어난다면, 그 이유는 바로 단테의 살아 있는 목소리를 듣고 싶기 때문이다. 단테가 펜을 들고 잉크를 묻혀 종이 위에 글자를 써내려가는 동안 품었을 생각과 느낌을 공유하고 싶기 때문이다.

육필원고와 '거기 있음'

작가의 목소리가 남아 있는 곳은 단연 손으로 쓴 육필원고다. 나는 특히 잉크의 흔적이 남아 있는 종이라는 물질을 말하고 싶다. 단테는 「지옥」의 첫머리를 왜 그렇게 시작하기로 결심했을까? 그다음 행은 어떤 생각으로, 또 어떤 기억으로 썼을까? 우선 내세의 여러 장면을 머릿속으로 구성하고 그걸 그대로 옮겼을까? 또는 처음에 몇 개의 어휘를 쓰고 그 어휘가 이끄는 대로 다음 어휘를 떠올렸을까? 그러면서 잠시 멈춰서 생각하고 또는 감정을 추스르면서 앞에 쓴 것을 읽어보지 않았을까? 어떤 대목에서는 이어나가지 못하고 고치고 또 고치면서, 생각에 생각을 거듭하면서, 긴 시간을 보내지 않았을까?

이제는 영원히 확인할 수 없는 물음이다. 하지만 그가 남긴 육필원고에는 그 흔적이 남아 있을지도 모른다. 한번 쓴 것을 지우거나 줄을 긋고 여백에 고쳐 쓴 곳이 당연히 있을 테고, 줄이 비뚤어져

사선으로 기울어지는 행이 있을 수 있다. 어느 단어에서 힘을 더 줘 꾹꾹 눌러쓴 자국이 있다면, 그 단어를 적어도 무의식적으로라도 강조하고자 했을 것이다. 어쩌면 잉크를 엎질러 종이에 번지거나, 열심히 몰두하다가 저도 모르게 눈물이 떨어져 종이에 자국을 남겼을 수 있다.

이 모든 것이 살아 있는 작가를 떠올리게 하는 흔적이다. 인쇄된 문자에 들어 있는 광대한 의미의 층이 우리가 지닌 관념의 스크린을 '거쳐' 인지되는 반면, 육필의 흔적은 두 눈으로 '직접' 인지할 수 있는 물질적인 것이다. 의미의 층이 우리의 관념을 거쳐 재구성되는 반면, 우리 눈에 직접 인지되는 작가의 흔적은 그 자체로 우리에게 들어온다. 작가가 창조하고 재현한 내면의 세계 이전에 작가가 '거기에' 있다.

이러한 '거기 있음'은 에리히 아우얼바흐Erich Auerbach, 1892-1957가 쓴 『단테』에서 단테를 '세속적 시인'으로 정의하며 호소력 넘치게 묘사한 현실성과는 현저히 다르다. 아우얼바흐는 단테의 실제 경험이 『신곡』에 녹아 있다는 것을 여러 예를 들어 말했다.* 하지만 단테라는 존재가 살아 있는 목소리, 더 정확히 말하면 목소리에 실린 언어의 물리적인 작동으로 『신곡』을 존재하게 하는 것, 그렇게 함으로써 『신곡』의 세계를 독자에게 고스란히 옮겨놓는 물질성은 말하지 않았다. 물론 이런 점은 손으로 원고를 쓴 모든 작가에게 해당하므로 단테에게만 한정된 일이라고 할 수는 없다. 나는 그런 점이 단테에게만 해당하는 독특한 현상임을 주장하려는 것이 아니다. 단테의 세계에 접근하는 또 다른 길의 가능성과 의미를 짚어보려는 것이다.

* 에리히 아우얼바흐, 이종인 옮김, 『단테』, 연암서가, 2014.

3 필사본으로서의 책

단테의 육필원고

육필원고에서 필사본 그리고 인쇄본으로 갈수록 작가의 목소리는 희미해진다. 아쉽게도 우리에겐 단테의 목소리를 가장 가깝게 느낄 수 있는 육필원고가 없다. 『신곡』뿐 아니라 다른 작품도 육필원고는 지금까지 발견된 적이 없다. 단테의 전기를 쓴 레오나르도 브루니Leonardo Bruni, 1370-1444는 단테가 "완결된 필체로, 완벽하게 구성된 가늘고 긴 글씨"로 썼다고 말한다.* 하지만 확인할 길은 없다. 수많은 학자가 단테가 쓴 『신곡』이나 하다못해 그가 서명한 『신곡』을 찾아보려고 무진 애를 썼지만, 아직 아무런 성과가 없다. 단테의 손끝에서 나온 글자는 흔적도 없다. 우리에게 남아 있는 것은 최소 825종 이상의 필사본, 유럽에서 인쇄술이 보급된 이후 쏟아져나온 인쇄본 그리고 그 이래로 이탈리아를 비롯해 세계 각국에서 찍어낸 엄청난 종류와 개수의 주석판이다.** 단테의 육필원고는 사라졌지만,

* Barbara Reynolds, *Dante: the Poet, the Political Thinker, the Man*, London, 2006, p. 9.
** 최초의 인쇄본은 폴리뇨에서 노이마이스터와
에반젤리스타 안젤리니 다 트레비(Evangelista Angelini da Trevi)가
1472년 4월 11일에 300권으로 냈으며
현재 14권이 남아 있다. Kleinhenz, Christopher,
Medieval Italy: An Encyclopedia, Volume 1., Routledge, 2004., p. 360.

분신은 무한이라고 해도 좋을 정도의 다양한 형태로 우리에게 전해졌고 앞으로도 더욱 불어날 것이다.

단테의 육신은 죽고 목소리는 사라졌어도 인쇄본이 계속 출간되는 한, 문자라는 문명의 도구가 지속되는 한, 단테의 생각이나 감정은 그와 더불어 살아 있을 것이다. 하지만 바로 그런 생각 때문에 우리가 기원의 목소리에서 멀어졌는지도 모른다. 우리는 죽어버린 육신의 목소리를 계속해서 살아남는 문자에서가 아니라 그 목소리의 사라짐으로 경험하는 일이 필요하다. '사라져 없어짐' 그 자체로 듣는 일이 필요한 것이다. 문자는 남으면서 존재하고 목소리는 사라지면서 존재하기 때문이다. 시인의 죽은 육신의 목소리는 다름 아닌 사라짐을 경험함으로써 존재한다. 우리 앞에 남은 것은 단테가 사라지는 목소리를 부여잡기 위해 쓴 그의 문자뿐이다. 하지만 그의 문자가 사라짐을 담고 있는 한, 그의 목소리는 그곳에서 되살아난다. 그 되살아나는 경험이 그의 문자를 시의 언어이자 실존의 언어로 만들어준다.

요컨대 단테의 생각이나 감정을 직접 경험하고자 한다면, 그의 문자에서 목소리를 들으려고 노력해야 한다. 그 목소리가 성대를 울리며 나오는 소리로 존재하지 않는다고 해도, 문자로 정착되기 이전과 이후에도 여전히, 언제나, 시인의 내면으로, 또 우리의 상상으로 들을 수 있다고 믿어야 한다.

아리스토텔레스는 목소리란 영혼을 지닌 것이 내는 소리라고 정의했다.* 공기를 들이마시는 것들은 모두 어떤 소리를 내지만, 특히 목소리는 "의미를 지닌 소리"** 라는 것이다. 다른 한편, 나는 "의미를

* 아리스토텔리스, 유원기 옮김, 『영혼에 관하여』, 궁리, 2001, 제2권 제8장, 420b 5.
** 아리스토텔레스, 같은 책, 2001, 제2권 제8장, 420b 34.

지닌 소리"로서의 목소리가 어떻게 의미를 지니고 전달할 수 있느냐는 물음을 간과할 수 없다. 우리는 두 경우를 생각해볼 수 있다. 첫째, 어떤 목소리가 이미 일정한 의미를 지닌 채 들려오는 경우다. 일상적으로 우리는 어떤 말을 할 때 거기에 일정한 의미를 담는다. 그리고 그 말을 듣는 사람이 무슨 뜻인지 정확하게 이해하기를 기대한다. 둘째, 어떤 목소리가 다양한 의미를 지닌 채 들려오는 경우다. 일상 언어와 달리 문학언어는 말에 일정한 의미를 담는 대신 그 말이 지니는 자체의 잠재력에 따라 의미를 다양하게 파생시킨다. 작가는 문학 언어를 말할 때 그 말을 듣는 사람이 그 말이 파생하는 다양한 의미들을 추적하기를 기대한다. 단테는 바로 두 번째 경우에 속한다.

문제는 여느 작가와 마찬가지로 단테도 자신의 목소리를 문자에 담아내려 했다는 점이다. 그는 입에서 나오자마자 연기처럼 사라지는 목소리를 문자라는 성긴 그물로 포획하려는, 성취할 수 없는 일에 매달렸다. 그 결과 그의 문자는 그의 목소리의 흔적을 담은 채 우리 앞에 놓여있다. 그의 문자를 대하며 나는 자신의 목소리를 붙잡아두려 했던 단테의 마음을 체험하고자 한다. 그것이 단테의 목소리를 듣는 일의 목표이며 의미다.

육필원고가 존재하지 않는 상황에서 단테의 사라진 목소리를 듣기 위해 나는 단테의 육필원고와 인쇄본 사이에 놓인 필사본에 주목하고자 한다. 『신곡』은 825종 이상의 필사본이 살아남은 데서 알 수 있듯이, 지금까지 『성경』에 버금가는 수용적 가치와 지위를 누렸다. 앞서 언급했듯이, 단테는 저자의 육필원고가 필사본의 형태로 독자들에게 보급되던 시절에 활동했다. 허버트 매클루언Herbert McLuhan, 1911-80이나 월터 옹Walter Ong, 1912-2003이 지적하듯,* 필사문

* 허버트 매클루언, 임상원 옮김, 『구텐베르크 은하계』, 커뮤니케이션북스, 2001;

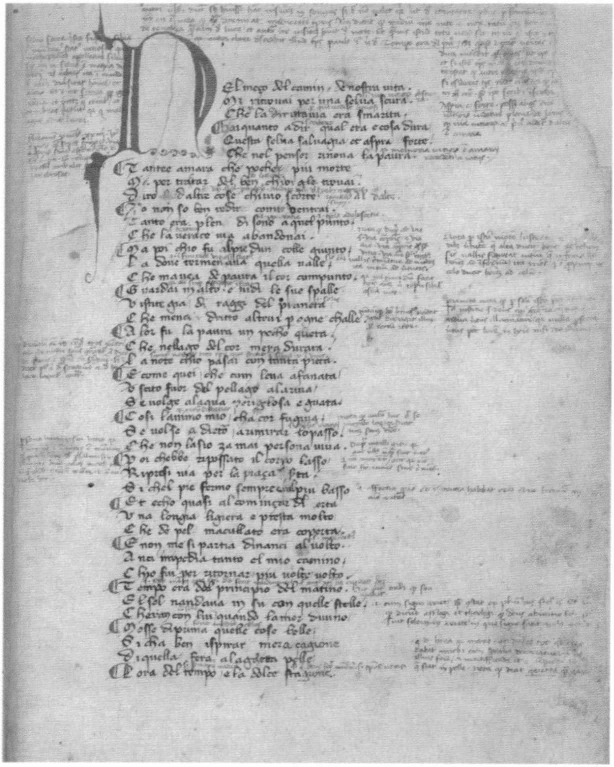

14세기 중반에 쓰인 「지옥」 필사본의 첫 페이지.
단테의 생각이나 감정을 직접 경험하고자 한다면,
그의 문자에서 목소리를 들으려고 노력해야 한다.
하지만 『신곡』의 육필원고가 존재하지 않는 상황에서
단테의 사라진 목소리를 듣기 위해서는
필사본에 주목하는 수밖에 없다.

화는 인쇄문화와 질적으로 다른 특징을 품고 있다. 더욱이 단테의 육필원고가 존재하지 않는 현실에서 단테가 작가로 활동하던 시절의 필사문화를 고려하는 것은 그의 목소리를 듣는 유력한 길일 수밖에 없다.

필사문화

앞서 보았듯, '신곡'으로 번역되는 이 책의 원래 제목은 '단테 알리기에리의 코메디아'다. 단테가 신과 인간의 합일이라 부른 '코메디아'라는 용어가 지니는 다층의 의미망도 살펴야 하겠지만,* 여기서는 '단테 알리기에리의'라는 일종의 선언에 담긴 울림을 생각해보자. 중세의 필사문화에는 우리가 생각하는 '저자'라는 개념이 존재하지 않았다. 당시 사람들은 책을 누가 썼는지에 별다른 관심이 없었다. 저자가 이름을 남기는 일은, 마치 화가나 조각가가 그러했듯이, 르네상스시대로 진입하면서, 구체적으로는 인쇄술이 보급된 뒤의 일이었다. 인쇄본의 보급과 유통으로 출판이 개인의 명성과 권위를 지속시켜주는 시대에 와서야 비로소 저자라는 개념이 생기게 되었다.

그렇다고 단테처럼 13세기와 14세기의 필사문화에서 활동하던 작가들에게 개인의식이 없었던 것은 아니다. 그들은 그런 면에서 무척이나 선구자였다. 하지만 인쇄문화 이전의 저술작업은 도서관 사서나 일반 독자가 참여한 제본작업에 가까운 것이었다. 손으로 쓴 원고라 완성과 미완성의 구별이 그리 선명하지 않았으며, 원고가 과연 한 사람의 소유물인지 그가 베껴 쓴 것인지 구분하기 힘든

▌ 월터 옹, 이기우 옮김, 『구술문화와 문자문화』, 문예출판사, 1995.

* 이에 대해서는 내가 쓴 『단테 신곡 연구』(아카넷, 2011) 중 제10장 2절(471-490쪽)을 참고할 것.

경우도 있었다. 심지어 글을 구상한 저자보다 손으로 베껴 쓴 필사가의 이름이 더 널리, 그러다 보니 저자처럼 알려지는 경우도 있었고, 또 어떤 필사가의 필사본인지에 따라 내용의 배치가 달라지는 경우도 있었다.*

그러나 분명 단테가 쓴 책은 그의 개인산물이다. 이에 대해 이의를 제기할 여지는 전혀 없으며, 지금까지 그런 움직임도 없었다. 우리가 유념해야 할 사항은 단테의 개인의식이 근대적 개인이라는 관념에 완전히 합치되지는 않았다는 점이다. 특히 개인의 자서전적 경험과 표현이 그의 글을 구성하지만, 그 개인성은 처음부터 집단성과 혼성을 이루는 상태와 과정으로 이해해야 한다.**

인쇄문화 이전의 필사문화에서는 '쓴다'는 육체적 행위가 곧 저자였다. "누가 이 책을 썼는가?"라고 물을 때 그 '쓴다'는 것이 내용에 관련한 것인지 글자에 관련한 것인지, 다시 말해 저자를 가리키는지 필사가를 가리키는지 분명하지 않았다. 이런 상황에서 '쓴다'는 육체적 행위는 우리의 상상 이상으로 중요했다. 중세의 필사문화에서 저자는 필사가이기도 했다. 인쇄되어 나온 책을 자신의 작품이라 여기는 오늘날의 저자와 달리, 중세의 저자는 손으로 필사하는 순간마다 그 글자와 종이를 자신의 작품이라 여겼다.

우리가 무엇인가 쓸 때는 손으로 쓰면서 눈으로 볼 뿐 아니라, 입

* 예를 들어 웬디 페퍼가 보여준 대로 단테의 『속어론』은 누가 필사한 것인지에 따라 거기에 실린 시인들의 순서가 다르게 배열된다. Pfeffer, Wendy, "A Note On Dante, De Vulgari, and the Manuscript Tradition," *Romance Notes* Fall, 2005, Vol. 46 Issue 1., pp. 69-76.

** 단테는 『신곡』의 첫 구절부터 "나"와 "우리"를 교차시키면서 자신의 개인적 기억을 집단적 기억으로 전환하고 또 호환되도록 하고자 했다.

으로 우물거리고 그 소리를 귀로 듣는다. 게다가 자신의 손가락에 쥔 펜촉에 잉크를 묻혀 글자를 써 내려가는 동안 사각거리는 소리와 감촉을, 심지어 잉크의 냄새와 방 안의 공기까지 느낀다. 이런 총체적인 행위 때문에 필사가는 자기가 쓴 것을 자기 것으로 여긴다. 이런 여러 감각이 아우러진 흔적이 고스란히 남아 있는 필사본은 시각 중심의 인쇄본과 다를 수밖에 없다. 인쇄본의 활자는 언제든 자리를 옮길 수 있지만 필사본의 문자는 한번 정착된 순간, 그것이 생산된 순간의 흔적을 고스란히 간직한 채 한자리에 늘 붙어 있어야 한다. 따라서 어떤 모습으로 인쇄되든 언제나 저자의 내면이 중심이 되어 저작권을 고집할 수 있는 인쇄본과 달리, 필사본은 제작되는 물질적 양상에 따라 저자의 흔적이 조금씩 다르게 드러날 수 있다. 이는 필사본의 저자가 인쇄본의 저자에 비해 내면이 비교적 덜 확립된 탓도 있겠지만 그보다는 필사본의 저자가 생각하는 저작권이, 내면보다는/내면과 함께, '쓴다'는 육체적 행위에 우선 귀속된다는 점을 말해준다. 우리는 이러한 필사본의 특징을 생각하며 단테가 썼을 육필원고를 상상할 필요가 있다.

쓴다

그런데 말해주오. '사랑의 지성을 지닌 여자들'로
시작하는, 새로운 시를 끌어낸
그 사람을 내가 여기서 보고 있는지를.

내가 그에게, "나는 사랑이 숨을 불어넣을 때,
받아쓰고, 안에서 불러주는 대로,
드러내며 가는 그런 나라오."

"오, 형제여," 그가 말하길, "공증인과 귀토네와 나를
내게 들리는 달콤하고 새로운 문체에서
맺어주는 매듭이 이제 보입니다.

당신 날개가 그 불러주는 이를
어떻게 바짝 뒤쫓는지 잘 알겠소.
우리에게 전혀 일어나지 않았던 일이지요.

그 너머로 더 보려는 사람은 누구든
한 문체와 다른 문체의 차이를 보지 못합니다."
거의 만족한 듯 그가 입을 다물었다.

「연옥」 24곡 49-63

지옥을 거쳐 연옥에 오른 단테는 자기보다 한참 선배 시인인 보나준타 다 루카[Bonagiunta da Lucca, 1220-97]를 만난다. 1297년에 사망한 보나준타는 부지런히 시를 써 필명을 날렸다. 그러나 청년 단테가 청신체 문학운동을 벌이던 1280년대에는 60대 노인이 되어 감각이 무뎌진 상태였다. 단테는 『속어론』에서 그의 시를 '사무적인 언어'라고 평가하기도 했다. 그런 보나준타를 『신곡』에 등장시킨 단테는 자신을 "'사랑의 지성을 지닌 여자들'로 시작하는 새로운 시를 끌어낸 사람"으로 묘사한다. 보나준타는 단테를 작가로 잘 알고 있었지만, 그를 무엇보다 "새로운 시를 끌어낸 그 사람"으로 부른다. 단테도 자신을 "받아쓰는" 사람으로 화답하면서, 단테라는 이름보다는 받아쓰는 "그런 나"로 기억되고 알려지기를 원하는 모습을 보여준다. 여기서 우리는 마치 하느님이 모세에게 "나는 곧 나다"라고 답했듯[「출애굽기」 3:14] 스스로를 적극적으로 가리키는 필사가 단테를 떠

올리게 된다.

위의 인용문은 단테 문학의 정체성과 관련해 중요하게 논의된다. 여기서 말하는 "사랑"Amore 52행이 사랑의 신을 가리키는지, 문학적 영감을 가리키는지, 아니면 기독교의 성령을 가리키는지는 의견이 분분하다. '사랑'이 무엇을 지칭하는지에 따라 단테 문학의 성격이 근본적으로 달라지기 때문이다.

'사랑'은 우선 "영원한 기운을 불어넣어주는 사랑"「천국」10곡 1-2이나 '힘을 지닌 새 영혼을 태아에 불어넣는 제일의 원동자原動子,'「연옥」25곡 71, 즉 신으로 연결된다. 또한 위의 인용문에서는 "달콤하고 새로운 문체"dolce stil novo, 청신체라는 직접적인 묘사가 등장하는데, 이를 볼 때 '사랑'은 단테 내면에 있는 창작의 영감이라 할 수 있다. 물론 여기에는 성령이 포함될 수도 있다. 하지만 '사랑'을 창작의 영감으로 볼 때 비로소 단테를 기독교 정신이 인도하는 대로 글을 쓴 작가라기보다 사랑이라는 문학적 영감의 근원을 내면에 품고 교감하고 대화하면서 글을 쓴 작가라고 이해하게 된다.

"사랑이 숨을 불어넣을 때" 단테는 비로소 숨을 쉬고 생기를 얻으며 사랑의 속삭임과 표현에 이끌린다. '불어넣는다'spira는 용어는 숨, 생기, 속삭임, 표현, 끌림을 포괄한다. 사랑이 불어넣는 것은 '심장', 즉 작가의 육체적 생명력이다.* 사랑은 숨을 불어넣어 생명을 가동시키고 숨을 내뱉으면서 목소리를 내게 한다. 그 목소리를 받

* 단테는 꿈속에서 "나는 너의 하느님"(Ego dominus tuus)이라 말하는 어떤 성인을 만나는데, 그는 베아트리체를 안고서 "너의 심장을 보라"(Vide cor tuum)고 명령한다.
Alighieri, Dante, *Vita nova*, Milano: Feltrinelli, 1985, 제3장 3행-5행(p. 42).
베아트리체는 단테의 문학적 영감의 원천이다.

아쓰는 것이 단테의 시작법이라 할 때, 그의 시는 지극히 육체적·물질적 과정의 산물이라 할 수 있다. 단테는 창작의 산실인 내면의 실존을 정신, 심리, 정서 그리고 육체에서까지 강조한다.

이와 관련해 주목할 점은 단테의 시작법과 내용이, 보나준타가 "새로운 문체"라 묘사하듯「연옥」 24곡 50, 그전에 쓰인 어떤 시와도 확연히 다른, 그야말로 새로웠다는 사실이다. 그 새로움은 단테의 "날개"(penna, 깃털이자 펜을 의미한다)가 단테의 내면에서 불러주는 누군가를 바짝 따라감으로써 가능하다. 보나준타는 자신을 비롯한 어느 시인도('공증인'이라 불린 자코모 다 렌티니Giacomo da Lentini, ?-1250와 귀토네 다레초Guittone d'Arezzo, 1230-94 같은 당시를 대표하던 시인들) 자신의 내면을 제대로 따라가지 못했을뿐더러, 그렇게 따라가는 것 이상의 시도가 오히려 청신체의 방법에서 벗어나는 일이라고 생각했다. 바로 이렇게 새롭고 다른 시를 쓰는 일이 단테가 당대에 추진하던 청신체 고유의 문학기획이었다.

이런 정황을 놓고 볼 때, "그런 나라오"(54행)라는 문장은 아예 제목에서부터 '단테 알리기에리의'라는 문구를 넣은 것과 더불어, 단테가 글을 쓰는 필사가의 경험을 포함해 자신의 내면이 존재하고 그 내면을 옮겨 적는 주체가 존재한다는 점을 말하고 싶어 한 증거라고 볼 수 있다. 이때 저자로서의 경험은 정확히 필사가로서의 경험과 겹친다. 따라서 그가 경험하는 내용은 내면과 감각이 혼합된 것이라고 상상하는 일이 중요하다. 당시에 과연 단테가 독립된 인격과 내면을 갖춘 저자로 인정받고 받아들여졌는지 분명히 확인하기는 힘들다. 근대적 의미의 개인의식이 아직 발전하지 못한 상태에서 독자 또는 청자는 자신이 접한 책의 세계를 독창적인 것으로, 또는 어떤 한 사람의 독립된 생각의 결과물로 간주하지 않았을 것이다. 당시 책은 거대한 지식체계 전체의 한 부분으로 받아들여졌다. 무엇을 읽고 듣든, 다른 사람의 개별 의견이 아니라 거대한 지식체계를 이루는 한 조각을 접하는 일이었다.*

단테 역시 거대한 지식체계를 이루는 하나의 조각이었다고 추정해볼 수 있다. 그러나 그가 남긴 글은 단순히 한 조각에 머물지 않고 유동성을 지닌 채 나머지 체계와 조응하고 순환했다. 단테가 필사가로 겪은 경험은 '스스로' 그 과정에 속한다고 여기는 일이었다. 근대의 작가가 자신의 내면에 앉아 그 밀실을 꽉꽉 감싼 채 최대한 손상시키지 않으면서 외부로 재현하는 일에 골몰하는 현상과 대조적이다. 단테는 자신의 내면의 밀실을 창건했지만, 그 밀실은 처음부터 외부의 광장에 호출되어 그 광장과 호환될 것으로 형성되고 유지되었던 것이다.**

부르크하르트는 단테와 함께 "인간의 정신과 영혼은 자신의 내밀한 삶을 깨닫기 위한 발걸음을 힘차게 내딛고" 있으며, 『신곡』이 근대문학의 효시가 될 수 있는 이유는 어느 단계, 어느 모습에서건 인간의 정신을 풍부하고 입체적으로 묘사했기 때문이라고 말한다.*** 단테는 중세와 근대의 어느 작가보다 앞서서 자신의 내면을 탐구했다. 따라서 개인성을 특별히 추적해야 하지만 앞서 말한 대로 그의 개인성은 집단성과 조화되는 상태 또는 과정임을 유념해야 한다. 『신곡』의 첫 구절이 보여주는 '나'와 '우리'의 매끄러운 연결도 그러하거니와, 내세의 순례를 받치는 기억도 단테 자신의 내면에서 비롯하지 않고, 뮤즈에게서 발원해 독자에게로 흘러내려 가는 물줄기 같은 것으로 묘사된다. 순례하며 마주치는 대상을 감지하는 방식도

* 허버트 매클루언, 앞의 책, 2001, 267쪽.
** '쓴다'의 주제에 대해 제3부 제7장에서 '문자'와 관련해 더 살펴볼 것이다.
*** 야코프 부르크하르트, 앞의 책, 2003, 390-391쪽.

객관적 현실을 규정해 보여주는 형태가 아니다. 하나의 사건이나 인물과 마주치는 작가의 심리적 변화를 보여주고 자연스럽게 그 대상에 대한 독자의 공감을 끌어내는 형태다.

머리를 그리로 돌린 지 얼마 못 되어
높은 탑들이 수도 없이 보이는 듯했으니,
내가, "선생님, 이곳이 무슨 땅이오?"
그러자 그가 내게, "네가 너무 멀리서부터
어둠을 가로지르려다 보니,
상상 속에서 네가 흐려지는 게로구나.

감각이 거리에 얼마나 속는 것인지
너 저곳에 닿으면 잘 보게 되리라.
그러니 네 자신을 더 재촉하라."

그리고 다정하게 내 손을 잡고
말하길, "우리가 더 나아가기 전에,
네가 사실을 낯설지 않게 여기도록,

저것들이 탑이 아니라 거인임을 알아라.
저들 각자의 배꼽 아래는
둔덕으로 둘러싸인 웅덩이에 잠겨 있다."

「지옥」 31곡 19-33

1인칭과 2인칭

단테가 살던 당시 피렌체를 비롯한 대부분 도시에는 불시에 닥

칠 수 있는 공격과 약탈에 대비해 요새로 쓰인 탑이 수없이 많았다. 1200년대 피렌체에는 무려 150개의 탑이 있었다. 위의 대목에서 순례자는 거인을 보면서 탑을 떠올린다. 그런 이미지는 외부인이 당시 크게 성장하는 도시에 접근할 때 떠올릴 법한 "거인"의 위용을 표현한 알레고리로 볼 수 있다. 여기서 "거인"이란 신흥 부르주아 계층, 명문가 사람들을 암시한다. 그들은 권력과 부를 지키고 확장하기 위해 매우 호전적이었다. 지옥의 거인들은 피렌체의 명문귀족들이 지내는 요새화된 거처처럼 음울하고 불길한 모습으로 나타난다.

사물이 잘 보이지 않는 상태에서는 그저 믿는 것을 보기 마련이다. 길잡이는 순례자가 너무 자기가 보고 싶은 것을 보려다 보니[22-23행] 진실을 보는 대신 상상의 산물에 눈이 속고 있다고 지적한다. 지금 순례자의 눈에 어슴푸레하게 탑으로 보이는 것은 사실 거인이다. 거인이라는 실제 사물은 워낙 뜻밖이고 낯선 것이어서 애초에 상상하기 힘들다. 대신에 그는 피렌체의 익숙한 탑을 보고 싶었을 수도 있고 방랑할 때 방문한 볼로냐의 탑이 떠올랐을 수도 있다. 길잡이는 순례자가 정확히 실제의 사물을 볼 수 있도록 부드럽게 안내한다[28행].

더욱 흥미로운 것은 『신곡』의 주축이 '나'와 '너'로 구성된 '우리'라는 점이다. '그들'이라는 제삼자적 존재가 주변으로 밀려나는 것은 그 무대가 어떤 객관적인 고정된 시각에 매몰되지 않고 자체로 동요하는 사건들이 빚어내는 가변적인 흐름, 다양한 공명의 현장을 있는 그대로 재현한다는 뜻이다. 단테는 '나'로 등장하면서 그가 만나는 수많은 인물을 '너'라고 부른다. 그리고 그 만남의 현장에서 일어나는 일을 실시간으로 독자에게 보여준다. 그 과정에서 독자도 역시 '너'라는 2인칭으로 불리며 존재한다. 그렇게 '나'와 '너'가 연결되는 묘사의 방식에서 우리는 인쇄된 책을 들여다보며 만족하는 단테보다는 자신의 손으로 쓴 원고를 들고 사람들 앞에서 큰 소리로 읽는 단테를(실제 모습이 아니더라도, 즉 상징적인 차원에서라도) 떠올릴 필요가 있다. 실제로 『신곡』에서 단테는 수시로 "독자여!"라고 외치며, 독자를 '너'의 위치에 세우려고 계속 노력한다. 따라서 단테가 '나'라고 말할 때 그것은 동일성의 관점을 확정하는 것이 아니라 어떤 서사의 효과, 즉 독자와 나누는 대화와 교류를 노린 것이었다.

자신의 글을 소리 내어 읽어주는 단테는 문자보다는 말에, 인쇄본보다는 필사본에 익숙한 작가였다. 3인칭의 시점이나 존재가 낯선 그에게는 소리 내어 읽는 1인칭과 그것을 듣는 2인칭만 있다. 나와 너를 바라보는 제삼자는 존재하지 않는다. 단테의 순례는 1인칭 주체로 이뤄지고, 그 주체는 수많은 대상을 만나면서 대화를 나누고 그들을 묘사한다. 여기에 작가라는 3인칭은 존재하지 않거나 적어도 깊숙이 숨어 있다. 독자도 3인칭인 제삼자로 그들의 만남과 대화를 관찰하기보다는 1인칭의 단테가 말하는 얘기를 듣는 2인칭으로 존재한다. 그렇기 때문에 단테의 순례는 객관화된 사실의 기록이 아니라 주관적 체험을 담은 음성으로 울리는 것이다.

단테와 독자의 1인칭과 2인칭은 단수가 아니라 복수의 성격을 띤다. 단테는 자신의 경험을 작가의 시점이 아니라 『신곡』에 나오는 수많은 인물의 입을 빌려 들려준다. 또한 한 사람의 독자가 아니라 시공간을 초월한 독자가 듣는 것으로 상정한다. 이렇게 많은 사람이 많은 사람에게 말하는 구조는 구어전통의 전형적 특징이다.

1인칭의 단테는 2인칭의 독자와 조응할 때 비로소 존재한다. 『신곡』의 독자는 객관적·외부자적 관찰자가 지니는 수동적인 자세를 취하지 않고 내부에서 일어나는 사건에 연루된 '너'의 처지에서 적극적·능동적으로 개입할 수밖에 없다. 단테가 "독자여!"라고 소리 높여 부를 때 우리는 한 걸음 나서서 응답하고 실존하는 존재자로서 스스로를 확인해야 한다. 그럴 때 독자는 자신이 처한 상황에서 단테라는 작가를 만난다. 『신곡』은 일반적·보편적 문제와 개념을 다루기 이전에 바로 그런 개인들의 특별한 만남에서 현실세계에 대한 체험의 장으로 떠오른다. 그 체험은 투시원근법의 시각에서 나오는 관념적 인지와는 확연히 다르게 개별 맥락 속에서 각자가 지닌 고유의 감각, 인지의 불안정성 그리고 부정합성을 동반한다. 다시 말해, 그 체험은 어떤 통일된 중심점으로 수렴되지 않은 채 저마다의 방향으로 산란하며 흩어진다.

1인칭의 단테는 투시원근법이 필요로 하는 하나의 고정된 시점 위에 서 있지 않다. 원근법의 고정된 시점에서 나오는 개인주의적 자세는 인쇄문화의 공통된 특성이다. 그것은 단테가 속했던 필사문화에서는 본격적으로 발전하지 않은 상태였다. 이는 단테와 동시대를 살았던 조토 디 본도네Giotto di Bondone, 1267-1337의 그림이 원근법을 채택하되 거기에 매몰되지 않은 것과 비슷하다. 그림에 그려진 인물과 풍경이 관람자의 시각을 어느 한 점으로 수렴시키지 않고 전체를 포착하도록 해주는 것이다. 그렇게 만들어지는 조토의 현실감은 이후 르네상스 화가들이 구현하려 했던 현실감에 비해 훨씬 더 생생하다.

신곡의 원근법

『신곡』에는 르네상스가 추구하는 이상화된 세계가 없다. 르네상스는 대칭과 균형, 조화와 비례가 완전하게 실현된 세계를 추구하는데, 그런 세계는 다분히 시각적인 인지에 바탕을 둔다. 비록 『신곡』에 시각 이미지가 풍부하지만 이는 르네상스적 시각성이 아니라 청각을 비롯한 다른 감각을 혼융한 것이다. 또한 에르빈 파노프스키Erwin Panofsky, 1892-1968가 정확히 지적하듯이, 르네상스의 시각성은 투시원근법에 지나치게 매몰되어 현실을 현실대로 인지하지 못하

조토 디 본도네, 「최후의 만찬」(1304-1306).
조토의 그림은 식탁에 둘러앉은 사람들의 뒷모습까지 보여준다.
이런 배치 때문에 인물들을 무대 위에 앉힌 것 같은
레오나르도 다빈치(Leonardo da Vinci, 1452-1519)의
그림보다 훨씬 현실적으로 느껴진다.

레오나르도 다빈치, 「최후의 만찬」(1495-98).
「최후의 만찬」을 직접 본 다음 세 사람의 감상평은
한 폭의 그림이 시간이 흐르며 겪은 변형과 복원의 과정을 증언한다.

"「최후의 만찬」은 상태가 좋지 않아 희미한 윤곽 외에는
아무것도 볼 수 없다."
1556년 조르조 바사리(Giorgio Vasari, 1511-74).

"예수 그리스도의 오른쪽에 앉은 사도들의 얼굴이 보이지 않고…."
1722년 조너선 리처드슨(Jonathan Richardson, 1667-1745).

"레오나르도의 「최후의 만찬」은 예술 창작에서 정말 훌륭한 작품이다."
1788년 5월 23일 복원된 「최후의 만찬」을 본 요한 볼프강 폰 괴테
(Johann Wolfgangvon Goethe, 1749-1832).

고 시상을 원근법에 내재하는 시점의 논리적·함수적·구조적 등질성으로 대체시킨다. 말하자면 눈앞의 현실을 있는 그대로 보지 않고, 내면에 이미 형성되어 있는 관념의 스크린에 비춰 주조하는 것이다. 하지만 우리 눈이 직접 지각하는 공간에서는 "위치나 방향의 엄밀한 동등성은 없으며, 각각의 위치에 고유한 성질과 고유한 값이 있다." 그뿐 아니라 우리는 망막의 둥근 면에 투영되는 대로 사물을 인지하며, 따라서 투시원근법에 따라 평면 위에 작도된 이미지와는 다른 이미지를 본다.*

고대인이 지녔던 광학의 지식이나 거기서 비롯된 시각적 이미지는 투시원근법이 아니라 현실에 충실한 주관적 인상에 의거한다. 파르테논신전의 기둥은 일정한 간격으로 배치된 듯 보이지만 사실 기둥 사이의 간격을 다르게 했다. 또한 기둥이 휜 것처럼 보이지 않게 하기 위해 가운데를 곡선으로 부풀린 도리스식 구성을 하고 있다. 중요한 것은 고대인에게 원근법이 없었다는 것이 아니라, 르네상스인과는 다른 종류의 원근법을 적용했다는 점이다.

『신곡』에 풍부하게 담긴 시각 이미지는 근대인의 투시원근법이나 객관적인 3인칭 시점을 적용하지 않은 채 우리에게 다가온다. 단테가 저 멀리 떠돌던 프란체스카와 파올로를 불러 베르길리우스와 자기 가까이 내려오게 하는 장면「지옥」 5곡을 생각해보자. 우리는 이때 지옥의 두 번째 고리의 전체 배경을 보다가 그 넷이 모인 광경으로 초점을 좁히는데, 이를 마치 영화에서처럼 카메라가 그 넷을 클로즈업하는 식으로 떠올린다면 『신곡』을 적절하게 읽는 것이 아니다. 이 장면에서 카메라 같은 3인칭의 존재나 투시원근법의 작용은

* 에르빈 파노프스키, 심철민 옮김, 『상징형식으로서의 원근법』, 도서출판b, 2014, 12-13쪽.

귀스타브 도레, 「파올로와 프란체스카」(1861).

단테가 소리 높여 부르자 그들은 허공의 무리에서
떨어져나와 단테 일행이 있는 곳
가까이 내려온다.

“사랑은 온화한 가슴에 이내 스며드니,
내게서 없어진 아름다운 모습으로 이이를
사로잡았어요. 그 일로 아직도 괴로워요.

사랑은 사랑받는 사람을 사랑에서 놓아주지 않으니,
이이의 매혹이 강하게 나를 사로잡았어요.
그 매혹은 보다시피 나를 아직 포기하지 않아요.

사랑은 우리를 하나의 죽음으로 이끌었지요.
우리 삶의 불꽃을 꺼버린 그자를 카이나가 기다려요.”
이런 말들이 그들에게서 들려왔다.
「지옥」 5곡 100-108

없다(사실 우리는 영화를 보면서 카메라 워크를 의식하지 않는다. 그 장면 속에 들어가거나, 최소한 그 장면이 나에게 다가오거나 멀어진다고 느낄 뿐이다). 단테가 그들을 부르고 그들이 단테 일행에게 접근하면서 대상이 확대되는 것이다. 따라서 독자는 고정된 채 카메라가 클로즈업해주는 대로 보는 것이 아니라 단테와 함께 이동하면서 바라보는 체험을 하게 된다. 독자가 넷이 모인 자리로 직접 다가서는 것이다(또는 그 넷이 책을 읽는 독자에게 다가선다고 봐도 좋겠다). 나[순례자 또는 작가]와 너[독자]만이 존재하는, 무대와 관객이 따로따로 있는 게 아니라 그들이 서로를 부르고 서로에게 이동하며 함께 손을 맞잡는 세계가 바로 『신곡』에서 펼쳐지는 역동적인 세계다.

단테의 육필원고를 볼 수 없는 현실에서 우리가 단테의 목소리를 들으려면 어쩔 수 없이 그 분신, 즉 인쇄본에 의지해야 한다. 우리가 단테의 목소리를 듣기 위해서는 이탈리아어판이든 영어판이든 한국어판이든 하얀 종이 위에 박힌 까만 글자를 읽어야 한다는 말이다. 하지만 단테는 자신의 목소리가 닿지 않을 먼 미래의 독자까지 염두에 두고 『신곡』을 썼다. 『신곡』에서 펼쳐내는 자신의 순례에 가상의 독자, 무한으로 많아질 그 독자와 동행하려는 생각을 이미 오래전에 했던 것이다.

기원의 목소리는 단테가 홀로 내는 소리가 아니라 다른 사람들을 불러모으는 소리다. 그들과 함께 길을 떠나면서 계속 울려 퍼지는 소리다. 만일 우리가 그 소리에 부응해 단테와 함께 길을 떠나려 한다면, 단테의 실제 육성을 떠올릴 수 있는 고유한 상상과 감각 그리고 지성이 필요하다. 그러기 위해서는 근대적 투시원근법의 중앙 소실점[vanishing point]에 사로잡힌 '공간감정'과 '세계감정'에서 스스로 벗어나는 지적 모험을 감행해야 한다. 그래야만 단테의 실제 육성을 듣는 효과를 누릴 수 있다.

4 기원과 복제

고전

다른 문학작품과 마찬가지로 『신곡』 또한 물질로서의 책이면서 무형의 텍스트로 존재한다. 우선 물질로서의 책이라 하면 작가 고유의 영역에 속해 있다는 인상을 준다. 일정한 무게와 종이의 촉감을 지닌 책을 손에 들면 우리는 작가가 그 속에 있으며 어떤 말을 들려줄 준비를 마친 상태라는 느낌을 받는다. 그런데 일단 책을 읽다 보면 작가의 존재와 목소리를 만나는 우리 자신을 발견한다. 그러면서 물질로서의 책이 마치 공중에서 영혼처럼 열어져서 작가와 대화를 나누는 울림으로 퍼져나가는 것을 느낀다. 작가가 마련한 환상의 세계에 빠져드는 우리 자신을 돌아보게 된다. 이로써 지금 읽는 것이 우리에게 어떤 경험이며 무슨 의미가 있는지 생각하게 된다. 이처럼 책이 텍스트로 옮겨가는 과정은 작가의 세계를 파악하려는 시도에서 독자 자신의 세계를 구성하려는 시도로 옮겨가는 것과 같다.

책이 우리에게 어떤 이야기를 들려준다면, 텍스트는 우리에게 우리의 이야기를 하라고 한다. 책이 작가의 아우라를 물씬 풍기면서 우리를 사로잡으려 한다면, 텍스트는 우리더러 그 아우라의 안팎을 드나들면서 새롭고 다양한 아우라를 형성하라고 한다. 고전은 독자가 무한한 해석을 펼치도록 작가가 만든 물질로서의 책이자 무형의 의미 생산장치로서의 텍스트다.

우리가 어떤 책을 고전이라고 부른다면, 그것은 육필원고, 필사본, 인쇄본 그리고 텍스트를 모두 가리킨다. 다만 육필원고는 하나밖에 존재하지 않는 물질로서 언젠가는 사라질 운명이다. 오랫동안 존속한다는 고전의 정의에 부합하는 것은 육필원고에서 태어난 필사본과 인쇄본 그리고 텍스트다. 필사본이나 인쇄본은 계속해서 쓰거나 찍어낼 수 있고 인쇄의 효과로 생겨난 텍스트는 독자의 읽기와 해석으로 살아남지만, 유일하게 존재하는 육필원고는 언젠가 없어진다. 작가가 원고 위에 꾹꾹 눌러쓴 하나밖에 없는 흔적은 시간이 지나면서 사라지고, 눈물 자국이나 얼룩도 지워지며, 종이나 양피지는 산화하고 부식되어 먼지가 된다. 기원은 그렇게 변화하며 사라지는 것으로 존재한다. 기원의 모습을 유지하는 것은 역설적이게도 변하고 사라지는 것을 스스로에게 허용하는 일이다.

복제기술

오늘날 탁월하게 발전한 복제기술facsimile을 떠올려보자.* 여기서 말하는 복제기술이란 원본의 내용은 물론 물리적 외양을 지극히 세

* 다음 글을 참조할 것. Bruno Latour & Adam Lowe, "The migration of the aura, or how to explore the original through its facsimiles," in Thomas Bartscherer and Roderick Coover. eds., *Switching codes : thinking through digital technology in the humanities and the arts*, Chicago: University of Chicago Press, 2011. 복제의 결과 나온 것을 '클론'이라고 부르기도 한다. 과거에 또는 현재에도 우리는 '레플리카'라는 이름 아래 복제품들이 전시장을 채운 광경을 드물지 않게 목격해왔다는 점도 생각할 필요가 있다.

밀한 부분까지 완벽하게 재생하고 유지하는 기술이다. 내용은 같은데 물리적 외양이 다른 경우, 예를 들어 1850년에 출판된 책을 내용은 유지하고 표지나 문단의 배열만 바꿔 1990년에 다시 인쇄할 경우, 이는 재발간 또는 복권reproduction이라 부른다. 하지만 똑같은 외양으로 고스란히 재생하는 경우에는 복제라고 부른다. 내용이 달라진다면 그것은 개정판revised edition이다. 어쨌든 이 복제기술이 어느 시점의(예컨대 작가가 쓴 바로 그때의) 육필원고를 물리적으로 완벽하게, 즉 원래와 똑같이 복제했다고 하자. 복제된 육필원고는 완벽한 원래 형태를 유지한 채 무수한 복제품으로 재생산될 수 있으며, 언제까지라도 '다시' 복원될 수 있다. 하지만 작가가 남긴 육필원고 자체는 계속 변화하다가 결국 사라질 수밖에 없다. 기원은 변형되어 사라지고 복제는 원래대로 남는다. 이 경우 기원과 복제 가운데 어느 쪽이 작가의 원래 흔적, 발터 베냐민Walter Benjamin, 1892-1940식으로 말해, 그 고유의 아우라를 담는다고 할 수 있겠는가?

기원을 찾아서. 그림

기원과 복제의 역설적 관계는 예술작품의 경우 더욱 뚜렷하게 나타난다. 다빈치가 밀라노에 위치한 산타마리아 델레 그라치에Santa Maria delle Grazie 성당의 식당 벽에 그린 「최후의 만찬」Cenacolo Vinciano은 아무리 관리를 잘해도 변색과 퇴색, 균열 같은 변화를 피할 수 없다. 실제로 이 그림은 달걀을 안료에 섞는 템페라Tempera기법으로 그려졌고 식당이 습한 편이어서 다빈치가 그린 직후부터 파손되기 시작했다. 지난 수세기 동안 여러 번의 대대적인 복원restoration작업이 진행되었다.

그러나 오늘날 발달된 복제기술은 원래의 작품을 완벽하게 복제하여 유지한다. 전통적인 복원작업과는 차원이 다르다. 그것은 「최후의 만찬」을 어느 한 시점의 상태와 완전히 똑같은 정도(붓털 하나 하나의 흔적이나 물감의 두께, 색의 세밀한 차이, 시간이 흐르며 생긴 퇴색까지도)로 복제하고, 그 상태 그대로 남아 있게 한다. 또 원하기만 하면 세상 어디에서도, 동시에 여러 군데에서도 재생시켜 전시할 수 있다. 기원은 계속해서 흩어지고 사라지는 반면, 역설적으로 복제는 영원히 유지된다. 그뿐이랴. 복제는 계속 복제를 낳아 수많은 「최후의 만찬」을 존재하게 할 수도 있다.

오늘날의 복제기술과 그 결과물은 전통적 복원이나, 베냐민이 말하던 복제기술과는 근본부터 다르다. 오늘날의 복제품은 기원을 기원보다 더 기원답게 유지한다. 기원은 지속적 변화를 면치 못하는 반면 복제품은 한번 복제된 그대로 늘 동일하게 재생되기 때문이다.

이 문제를 좀더 자세히 살펴보자. 변하고 사라지는 기원과 그 기원을 영원히 원래의 상태로 유지하는 복제품 가운데 다빈치의 아우라를 담고 있는 것은 과연 어떤 것인가?

첫째, 복제의 경우다. 어쩌면 기원의 유일한 아우라는 마치 판화처럼 복제기술이 낳는 수많은 아우라로 대체될지 모른다. 오랫동안 복제기술이 적용된 장르인 판화는 예술가가 자신의 기원을 더 오랫동안 유지하고 더 널리 확산하기 위한 욕망을 반영했을 터 이다.

둘째, 원작, 즉 기원의 경우다. 기원은 역설적으로 변하고 사라지면서 원래의 아우라를 유지한다. 반면 사라지지 않는 복제품은 기원의 아우라를 결코 대체할 수 없다.

첫째의 경우 원본의 완전한 복제품은 그 완전성만큼이나 원본이 지닌 기원성, 아우라를 더 잘 유지한다고 생각할 수 있다. 이는 복제품이 몇 개가 있어도 같다. 이 경우 기원에 대한 우리의 생각 자체를 수정해야 한다. 베냐민의 얘기를 들어보자.

기원은 전적으로 역사적 범주이기는 해도 발생과는 아무런 공통점이 없다. 기원은 생겨난 것의 생성이 아니라 오히려 생성과 소멸에서 생겨나는 것을 의미한다. 기원은 생성의 흐름 속에 소용돌이로서 있으며, 그 리듬 속으로 발생 과정 속에 있는 자료를 끌어당긴다. 사실적인 것의 적나라하고 명백한 존립 속에서는 기원적인 것을 결코 인지할 수 없으며, 그것의 리듬은 오로지 이중적인 통찰에 열려 있다. 즉 기원적인 것의 리듬은 한편으로 복원과 복구로서, 다른 한편 바로 그 속에서 미완의 것, 완결되지 않은 것으로 인식될 필요가 있다.*

단테와 거의 동시대를 살았던 페트라르카는 『칸초니에레』 *Canzoniere***라는 시집을 남겼는데, 『신곡』과 달리 현재 바티칸 도서관에 육필원고가 남아 있다. 그 육필원고가 서점에 가면 쉽게 손에 넣을 수 있는 『칸초니에레』와 다른 것은 페트라르카 자신의 흔적을 담고 있으며 또한 시간이 지날수록 낡아 사라진다는 점이다. 앞에서 언급한 대로 육필원고가 담고 있는 물질성과 그 물질성에서 느낄 수 있는 작가의 육체적 흔적, 의도, 느낌, 충동, 망설임, 결정, 번복을 똑같이 '유지'하는 것은 사라져가는 기원이 아니라 늘 그대로 남는 복제다.

여기서 복제라 부르는 것은 인쇄된 책보다는 작가의 육필원고를 고도의 기술을 사용해 '있는 그대로' 재생시킨 것을 말한다. 즉 그

* 발터 베냐민, 김유동·최성만 옮김, 『독일 비애극의 원천』, 한길사, 2009, 62쪽.
번역문에서 "원천"을 "기원"으로 바꿔서 인용했다.
** 'Rime sparse'(흩어진 시들)이라고도 불린다.
라우라의 사랑과 삶과 죽음에 관한
페트라르카 자신의 흩어진 기억들을 모아놓은 시집이다.

원고에 새겨진 작가의 흔적을 그대로 재생해 영구히 보존하는 것이다. 그렇다면 『칸초니에레』를 복제하면 작가의 흔적이 옅어지지 않고 기원이 사라지는 운명에서도 벗어날 수 있지 않을까? 아무리 보존을 잘 해도 육필원고는 훼손될 수밖에 없고 그에 따라 유일한 아우라도 흐려지는 반면, 복제는 그 육필원고의 원래 상태를 유지하고 기원성도 온전히 지닌다. 오늘날 발전된 복제기술은 기원의 아우라를 기원에서 구출하고 보존한다.

둘째의 경우 복제가 원래의 아우라를 상실하는 것은 그것이 오히려 늘 똑같은 상태로 남아 있기 때문이라고 생각할 수 있다. 한번 기술적으로 완벽하게 복제된 원본은 반복해서 똑같은 상태로 복제될 수 있다. 하지만 무한히 늘어나는 복제품은 계속해서 사라져가는 원본과 결코 동일하지 않으며 원본이 지닌 '사라져가는' 아우라를 그대로 복제할 수도 없다. 따라서 사라져가는 원본은 그 사라짐 때문에 원래의 아우라를 간직하는 반면 늘 똑같이 남아 있는 복제품은 그 똑같이 남아있음 때문에 원래의 아우라를 상실하는 역설이 일어난다. 기원은 사라짐으로써 존재한다.

기원을 찾아서. 문학

우리가 흔히 대하는 인쇄된 책의 경우는 어떤가?

복제품이 기원의 아우라를 더 잘 간직한다고 보는 첫째 경우에 비춰보면 인쇄된 책도 작가의 목소리를 어느 정도 간직한다고 볼 수 있다. 물론 인쇄된 책은 복제와 달리 원본을 똑같이 재생하지는 못한다. 작가가 써내려간 문자를 활자판으로 떠서 인쇄한 책은 물론이고 작가의 육필원고를 고스란히 스캔해 출판한 책이라 해도, 복제가 아니라 인쇄인 이상, 크기와 질감 그리고 색상 등이 달라질 수밖에 없다. 그러나 인쇄가 원본을 똑같이 재생하지 못해도, 다시 말해 인쇄된 문학작품이 육필원고에 담긴 작가 고유의 흔적을 고스란히 담지 못해도, 작가의 세계를 전달하는 데에는 큰 문제가 없다.

문학에서 복제품과 인쇄본의 차이는 그림보다 덜하다. 이는 도상[그림]보다 상징[언어]을 대할 때 수신자가 그 상징에 훨씬 더 자유롭게 개입해 의미를 부여할 수 있기 때문이다. 상징언어를 대하는 독자는 그 언어가 육필원고의 상태든 인쇄된 책의 상태든 크게 개의치 않고 작가의 세계를 그려볼 수 있다. 오히려 인쇄본의 등장으로 독자는 스스로 해석의 지평을 넓히면서 작가의 세계에 개입하고 작가의 기원을 칼질할 대상으로 도마 위에 올려놓는다. 심지어 작가의 죽음까지 선언하면서 인쇄본이 지니는 텍스트성을 작가보다 더 중시하는 경향도 생겼다. 이렇게 책은 텍스트로 전이한다. 그리고 텍스트는 독자가 해석을 위해 개입하는 한 언제까지나 사라지지 않는다.

기원은 복제품이 결코 대신할 수 없는 고유의 아우라를 간직한다고 보는 둘째 경우에 비춰보자. 인쇄된 문학작품은 육필원고가 지닌 아우라를 인쇄된 그림에 비해 훨씬 더 잘 전달하지만, 완전할 수는 없다. 따라서 우리는 원본의 아우라를 느끼고 탐사하려는 노력을 따로 수행해야 한다. 가령 육필원고가 남아 있는 경우에는 그 원고의 물질성에 주목해 작가의 목소리를 들으려 애쓴다. 육필원고가 남아 있지 않다면 독자는 필사본이나 인쇄본으로 작품을 '읽으면서' 나름대로 해석하고 상상력을 동원해 작가의 목소리를 유추한다. 그러나 이 경우 작가의 목소리는 육필원고에 비해 현저하게 작거나 불명료하다. 그 목소리는 필사되었거나 인쇄된 책의 행간에 스며들어 있으며, 독자는 그것을 증폭하는 일만을 할 수 있다. 그리고 증폭 과정에서 목소리는 달라질 수밖에 없다. 이를 고려했을 때 문학작품에서 원본의 아우라를 추적하는 것은 오히려 첫째 경우,

즉 인쇄된 책에서 새로운 아우라를 창출하는 쪽으로 나아갈 수밖에 없다.

위의 두 가지 가능성 가운데 어느 하나를 배타적으로 주장하기는 어렵다. 다만 문학작품의 경우, 필사본이나 인쇄본이 원본, 즉 육필원고나 그 복제품(실질적으로 원본의 역할을 하는)의 자리를 대신할 수 있는 가능성이 그림의 경우보다 훨씬 더 크다는 사실을 알 수 있다. 문학에서 차지하는 구술성의 비중이 역사적으로 점점 줄었다는 것을 생각해보자. 이제 문학은 (종이 위에) 글자를 쓰는 것에서 출발한다. 그리고 캘리그래피처럼 미적 대상으로 여기지 않는 한, 그 글자는 필사나 인쇄 과정에서도 작가가 처음 거기에 담았던 내면을 옮길 것이다.

따라서 문학에서 필사본이나 인쇄본은 기원의 복제이며 확산이지만, 그렇다고 (그림의 경우처럼) 기원의 변신을 의미하지는 않는다. 문학의 경우 기원의 변신은 오히려 독자의 읽는 행위로 성취된다. 앞서 말했듯, 육필원고는 변하고 사라지면서 고유의 아우라를 간직한다. 그러나 그 고유의 아우라는 육필원고에만 있는 것이 아니다. 인쇄본에도 어느 정도 남아 있으며, 필사본은 남아 있는 정도가 더 크다고 할 수 있다. 따라서 독자는 육필원고를 접하지 않고서도 필사본이나 인쇄본에서 작가의 내면을 상당한 정도로 만날 수 있다. 이런 측면에서 볼 때, 문학의 경우 기원의 아우라가 상실되는 문제를 미술의 경우와 약간은 다르게 생각할 필요가 있다.

5 고전이라 불리는 책

『신곡』을 읽는 경험

하나의 문학작품이 텍스트가 되는 것은 그 작품이 고전의 반열에 오르기 위한 필수 과정이다. 이때 기원육필원고와 복제품이나 기원의 파생물필사본이나 인쇄본에 대한 독자의 참여가 불가피하다. 하나의 문학작품이 고전으로 불린다면 오랫동안 그 작품에 대한 독자의 해석이 이어져왔다는 의미다. 그러나 이 과정에서도 기원의 목소리는 늘 작품 속에 남아 독자의 목소리와 섞이면서 함께 그 작품을 텍스트로 형성한다. 독자가 문학작품을 텍스트로 대할 때 기원의 목소리에 귀를 기울여야 하는 이유가 여기에 있다.

우리는 문학에서 기원의 사라짐과 유지를 함께 경험한다. 작가의 육필원고가 없어 기원의 물질성이 존재하지 않는 경우에는 오직 그가 남긴 글자의 추상적인 세계에서만 그 흔적을 찾을 수 있다. 그러나 우리는 그저 하얀 바탕에 까만 도형일 뿐인 글자를 보면서도 기원의 물질성을 경험한다. 이는 흔히 고전의 경험이라 불린다. 단테는 『신곡』의 육필원고를 남기지 않았지만 우리는 필사되거나 인쇄된 『신곡』에서 단테의 살아 있는 목소리를 들을 수 있고, 듣기 위해 노력해야 한다. 이미 고전이 된 『신곡』을 경험하는 것은 단테의 살아 있는 소리를 듣는 일이며 그 소리를 정교하게 해석하는 일이다.

일찍이 토머스 엘리엇Thomas S. Eliot, 1888-1956이 바로 이렇게 단테를 읽었다. 엘리엇은 『단테』*라는 짧은 책에서 단테의 문학에 대한 소회를, 그의 용어를 "성숙한" 언어로 풀어낸다. 흥미롭게도 나는 그 책을 『신곡』 번역을 거의 끝냈을 때 읽었는데,** 엘리엇의 경험이 내가 번역을 하며 얻은 경험과 비슷하다는 느낌을 받았다. 나는 나의 경험을 이렇게 표현한 적이 있다.

> 나는 『신곡』을 번역하는 오랜 시간 동안 내내 단테의 그 넓은 바다mare magnum에 잠겨 있었다. 그 바다 위를 떠다니며 찬란한 햇빛을 반사하며 반짝거리는 무수한 지식들보다는 수면 아래에서 조용하게 일렁거리는 물결에 몸을 싣고 그 촉감에 몸을 내맡기는 것이 나의 주된 경험이었다. 말하자면 나는 단테를 알았다기보다 느끼는 것으로 단테의 바다를 항해했던 것이다.***

엘리엇과 나는 단테에 대한 유사한 경험을 공유하고 있었다. 그 경험은 단테의 문학, 정확히 말해 그의 시적 언어가 말을 건다는 느낌에서 비롯된 것이었다. 하지만 나는 엘리엇이 단테의 시적 언어에 대한 감수성을 유럽의 고전전통에 대한 배타적 자부심으로 덧칠했다는 생각을 지우기 힘들었다.

엘리엇은 단테의 언어에 대한 경험과 느낌보다 서양의 신학이나 고전전통 그리고 『신곡』이 인간에 대해 담고 있는 엄청난 범위의 지식을 더 강조한다. 엘리엇은 『단테』의 집필을 끝낸 뒤인 1920년 3월 21일 오톨린 모렐Ottoline Morrell, 1873-1938에게 보낸 편지에서 다

* Eliot, Thomas S., *Dante*(1921), New York: Haskell House Publishers, 1974.
** 단테 알리기에리, 박상진 옮김,
『신곡: 단테 알리기에리의 콤메디아』, 민음사, 2007.
*** 박상진, 『단테 신곡 연구: 고전의 보편성과 타자의 감수성』, 아카넷, 2011, 403쪽.

음과 같이 진술한다.

> 난 지금 막 단테에 대한 글을 끝냈습니다. 상상하시듯 어려운 일이었어요. 그런 주제에 대해 내가 할 수 있는 얘기는 참 보잘것없겠다는 느낌이 들더군요. 단테 앞에서 나는 완전히 위축되고 맙니다. 그저 그런 사람이 있다고 하며 침묵을 지키는 것밖에 정말 할 일이 없는 것 같습니다.*

엘리엇은 『단테』를 어렵게 썼던 것 같다. 어쩌면 단테의 위대함을 잘 그려내고 싶었을지도 모른다. 엘리엇은 단테가 위대한 이유를 유럽의 신화, 신학, 철학, 문학을 종합하는 집중력에서 찾는다. 엘리엇은 학문적 객관성이나 엄정한 비평적 규준에 의지하며 유럽의 고전전통으로 단테의 위대함을 말한다. 엘리엇은 문학은 지적 학문이며 자신은 그런 문학을 대하는 특별한 독자라고 생각한다. 나는 단테의 목소리를 듣는 느낌을 공유하면서도 엘리엇의 그런 태도에 대해 약간의 소외감을 느낀다.

엘리엇은 유럽의 성숙한 문화가 유럽의 탄탄한 지적 전통에서 나왔으며 단테(의 재능)는 그 지적 전통의 중요한 일부라고 하면서, 단테의 문학을 독점하려는 인상을 짙게 풍긴다. 단테가 위대한 고전작가인 이유는 인간의 본질적 면모와 문제를 보편적 차원에서 펼쳐

* Eliot, Valerie, *The Letters of T.S.Eliot: Volume I 1898-1922*, New York: Harcourt Brace Jovanovich, 1988, pp. 374-375. 영국 시인이자 극작가인 로버트 콜버리 트리벨리언 (Robert Calverley Trevelyan, 1872-1951)에게 1920년 12월 10일 보낸 편지에서도 비슷한 의견을 피력한다. 박상진, 같은 책, 2011, 426쪽.

내기 때문인데, 엘리엇은 바로 그 보편성을 들어 단테를 찬미하면서도 정작 유럽의 한계에서 벗어나지 못한다. 유럽의 한계에 갇힌 보편성은 다분히 임마누엘 월러스틴Immanuel Wallerstein, 1930- 이 '유럽적 보편주의'라 부른 것*과 다르지 않다. 유럽적 보편주의는 이른바 '특수한 보편주의'다. 우리는 '보편적 보편주의'를 진정한 보편성으로 새롭게 구상하고 실천해야 한다. 고전 읽기도 그런 기획에 부응해야 하는 것이다.

미적 경험에서 지식의 필요성

지식 자체가 고전을 읽는 데 방해가 되는 것은 결코 아니다. 미적 경험은 일상이나 자연에서도 할 수 있지만, 더욱 충만한 또는 복합적인 미적 경험은 완성도가 높은 예술작품에서 맛볼 수 있다. 이 경우 필요한 것이 지식이다. 영국의 비평가 월터 페이터Walter Pater, 1839-94는 『르네상스』*The Renaissance Studies in Art and Poetry*에서 예술작품을 경험하는 주관적 체험의 중요성을 강조하면서 또한 그것이 인문학적 지식의 바탕 위에 서 있을 때 성숙한 미적 감각을 키울 수 있다고 말한다.** 마찬가지로 『신곡』의 구절은 그 구절을 읽는 사람이 이탈리아어와 이탈리아 역사에 관한 지식의 도움을 받는다면, 또 고대와 중세의 과학과 철학에 관한 지식을 갖추고 있다면 그리고 운율법칙을 가려내고 음미할 능력을 발휘한다면, 훨씬 더 생생하게 다가올 것이다.***

그렇다면 작가의 경우는 어떤가? 작가가 미적 경험의 원천을 창

* 임마누엘 월러스틴, 김재오 옮김, 『유럽적 보편주의』, 창작과비평사, 2008.
** 월터 페이터, 이시영 옮김, 『르네상스』, 학고재, 2001.
*** D.W. Gotshalk, *Art and the Social Order*, Chicago: The University of Chicago Press, 1947, p. 11.

조할 때 그도 역시 지식의 기반이 있어야 하는가? 엘리엇은 반드시 그럴 필요는 없다고 말한다. 그는 시인이 철학적 개념을 사용할 수는 있지만 그것을 숙고할 필요는 없다고 말한다.* 『신곡』의 작가로서 단테가 이탈리아어와 이탈리아 역사, 그리스와 중세의 과학과 철학 그리고 운율을 숙고하는 데 전적으로 매달리지는 않았을 것이다. 사실 지식은 단테를 이루는 바탕이며, 『신곡』을 쓰는 단테는 그것을 '사용'했을 뿐이다(물론 『속어론』과 『향연』 『제정론』의 저자로서 단테는 다른 차원일 수 있다. 다만 그런 학술서를 쓸 때 했던 고민을 문학인 『신곡』을 창작하며 또다시 했다기보다, 그 고민을 기반으로 『신곡』을 펼쳐 보였다고 하는 것이 정확할 것이다).

따라서 독자가 『신곡』을 제대로 음미하기 위해서는 철학적 개념에 관한 지식이 필요하지만, 단테가 『신곡』을 쓰는 과정에서 철학적 지식은 탄탄한 바탕을 이루고 있었을 뿐 직접 필요한 것은 아니었을 것이다. 단테가 자신의 지식을 앞세우고 노출시켜 줄줄이 늘어놓았다면, 미적 창조와는 거리가 멀게 되었을 것이다. 결국 단테의 글을 대하는 독자는 배경 지식을 갖추는 동시에, 단테가 자기 글에 담은 사회와 역사의 체험과 언어의 미적 경험을 그와 공유해야 한다. 아마도 단테가 더 심각하게 고민했던 것은 지식의 전달보다도 오히려 그러한 체험과 경험의 공유를 통해 자신의 글이 독자에게 스며들게 하는 문제였을 것이다.

* 이런 내용은 엘리엇이 프랜시스 허버트 브래들리(Francis Herbert Bradley, 1846-1924)에 대해 쓴 다음 글의 기조를 이룬다.
T.S. Eliot, *Knowledge and Experience in the Philosophy of F.H. Bradley*, London, 1964. 다음 글도 참조할 수 있다.
Richard Wollheim, "Eliot and F.H. Bradley," *On Art and the Mind: Essays and Lectures*, London: Allen Lane, 1973, pp. 220-249.

거리두기

바로 이런 측면에서 나는 단테의 진정한 보편성이 타자에 대한 기민하고 깊숙한 그의 감수성에서 나온다고 생각한다.* 단테를 진정 보편적 시인이라 부르고 싶다면, 엘리엇이 생각한, 유럽을 받치는 지적 전통과 그 위에 서 있는 '성숙한' 문화에 그를 가두지 말아야 한다. 또한 단테를 비유럽의 타자들이 받아들이고 평가하는 과정이 필요하다. 내가 엘리엇의 『단테』를 읽으며 '소외'를 느낀 것은 유럽이라는 중심을 전제하는 옥시덴탈리즘Occidentalism 때문이 아니었다. 오히려 거리두기로 공정한 평가를 할 수 있었고, 나아가 독자의 영역은 다양하고 가변적이라는 사실을 재확인하는 계기가 되었다. 거리두기는 망명자 단테가 세상과 균형 잡힌 소통을 유지하기 위한 필수덕목이었으며, 다양하고 가변적인 독자가 작품을 읽는 무수한 방식은 그야말로 단테를 보편적인 시인으로 유지하는 결정적 요소가 아니었던가.

『신곡』은 돌처럼 단단하게 굳어 있지 않다. 그보다 한없이 펼쳐지는 자유로운 해석으로 물처럼 흘러 다닌다. 『신곡』은, 모든 고전이나 세계문학이 그러하듯, 자신을 풀어헤치는 자유로운 해석을 허용하는 한에서 정체성을 유지한다. 그런데도 『신곡』은 고유의 질서와 구조를 언제나 유지한다. 그 질서와 구조로 『신곡』은 독립된 실체를 지탱하지만 동시에 물처럼 흘러 다니면서 유지된다. 바로 그것이 『신곡』이 존재하는 방식이다. 그러므로 새로운 번역과 자유로운 해석으로 『신곡』을 읽고 타자의 맥락에서 『신곡』을 거듭 새롭게 바라보는 일은 결코 『신곡』의 독창적 가치를 배반하지 않으며 오히

* 이런 논지는 내가 쓴 『단테 신곡 연구: 고전의 보편성과 타자의 감수성』(아카넷, 2011)에 깔려 있다.

려 『신곡』을 더욱 풍요로운 고전이 되게 한다.

나는 엘리엇과 관련된 고전의 경험에서 기원의 목소리에 더 귀 기울여야겠다고 생각했다. 단테의 목소리는, 번역의 과정에서도 거의 훼손되지 않고 피렌체와 유럽을 넘어서 동아시아에 있는 우리에게까지 도달한다. 여러 언어와 시대, 사회에서 나온 인쇄본으로 단테의 목소리를 접하고, 그 위에 우리의 목소리를 포개면서, 단테의 세계를 함께 구축하는 일이 곧 우리에게 허용된 고전의 경험이라면 단테의 목소리를 직접 들어보려는 노력은 대단히 중요하다. 단테는 특히 몰개성적인 중세의 환경에서 스스로 웅장하고도 섬세한 자기만의 세계를 출발시켰기 때문이다.

6 고전 작가라 불리는 단테

단테의 세계

프랑스의 비평가 샤를 생트뵈브Charles Sainte-Beuve, 1804-69는 이탈리아가 유럽 근대문학을 선도했고, 그 중심에 고전 작가 단테가 있었다고 말한다. 유럽에서 '고전'이라 하면 그리스와 로마시대 및 그 당시에 나온 문학과 예술작품을 떠올리기 마련이다. 그런데 생트뵈브는 중세의 마지막 시인이라 할 단테에게 고전 작가의 지위를 부여했다. 사실 단테를 중세의 마지막 시인으로 부르는 것 자체가 이미 근대 최초의 작가라고 불러도 좋다는 의미다. 근대는 고대를 이어받은 것이라 생각하던 수많은 사람 가운데 하나였던 생트뵈브는 바로 그 점에 착안했던 것 같다.* 근대는 고대라는 거인의 어깨 위에 앉아 있는 난쟁이라는 면에서 고대를 절대적인 대지로 삼고 있다. 생트뵈브는 르네상스를 근대의 고대로 대했다. 아마도 고전의 시대적 위치를 확장하기 위해 단테를 근대를 선도한 고전 작가로 규정한 것으로 보인다.

르네상스운동이 활발하게 전개되던 무렵, 페데리코 몬테펠트로

* Saint-Beuve, Charles Augustin, "What Is A Classic?"(1837), *Sainte-Beuve: Selected Essays*, Translated and Edited by Francis Steegmuller and Norbert Guterman, New York: Doubleday & Company, 1963, p. 2.

Federico Montefeltro, 1422-82는 이탈리아 중부에 위치한 우르비노에 거대한 도서관을 세웠다. 르네상스시대에 이르러 지식의 발굴과 생산, 전파, 보존의 기능을 하는 장소가 수도원에서 도서관으로 바뀌었다. 도서관은 르네상스의 지적 토대를 이루고 있었다. 몬테펠트로의 도서관에는 엄청난 양의 책이 있었는데 목록을 보면 단테와 보카치오의 전집이 맨 앞을 차지하고 있다. 흥미롭게도 단테는 보카치오와 더불어 '근대 작가' 항목으로 분류되었고, 그 뒤로 25명의 엄선된 르네상스 인문주의자의 저술과 번역물이 자리를 잡았다.* 당시 사람들은 단테를 이탈리아에서 르네상스의 싹을 틔운 작가로 평가하고 있었다.

사실상 단테는 당시의 문화생활 전면에 처음으로 고대를 힘차게 밀어 넣은 인물이었다. 단테는 당대 사람들이 이미 잘 알고 있는 친숙한 세계였던 중세의 기독교적 세계와 상대적으로 미지의 세계이자 많은 것을 약속해주는 흥미진진한 세계였던 고대를 연결해 균형을 잡아주었다. 단테를 이어받은 페트라르카와 보카치오를 끝으로 중세와 고대를 이어주는 인물이 더 이상 나오지 않자 필연적으로 고대가 더 관심을 끌 수밖에 없었고, 고대를 재생하기 위한 르네상스시대가 자연스럽게 도래했다. 이런 관찰은 단테의 시대가 르네상스시대와 달리 이탈리아 색채가 강했으며 고유의 문화가 살아 있던 때였다는 지적과 일맥상통한다.** 단테의 시대는 안정된 내세 중심의 세계인 중세와 또 다른 의미에서 안정된 고전 중심의 세계인 르네상스 사이에 위치한 과도기였다.

과도기의 시인 단테는 호메로스의 그리스와 베르길리우스의 로

* 야코프 부르크하르트, 앞의 책, 2003, 267쪽.

** 야코프 부르크하르트, 같은 책, 2003, 266-267쪽.

비블링겐 수도원의 도서관.
베네딕트수도회의 것으로 1093년 건립되었다.
16세기 후반에 번성했고, 1757년 챕터홀이 건립되면서
약 1만 5,000권의 장서를 보유하게 되었다.
중세의 도서관은 책의 발굴, 보존, 주석, 출판을 담당하며
문화의 중심지 역할을 했다.

피에로 델라 프란체스카(Piero della Francesca, 1416-92)가 그린
「페데리코 다 몬테펠트로의 초상」(1467-72)과 몬테펠트로의 서재.
몬테펠트로는 이탈리아 르네상스시대의
가장 성공적인 용병대장, 즉 콘도티에로(Condotiero)로서,
1444년부터 사망할 때까지 우르비노의 군주로 군림했다.
그는 자신의 스투디올로(Studiolo), 즉 '작은 서재'에서
독서와 명상을 즐겼다.

마, 보에티우스와 아퀴나스의 중세를 대지로 삼아 당대에 시작된 새로운 시대로 눈을 돌린 선구적 작가였다. 그의 대지가 넓고 탄탄한 것이야 두말할 필요도 없다. 알베르토 망겔Alberto Manguel, 1948- 의 말을 음미해보자.

> 단테의 『신곡』이 모델로 삼은 것은 호메로스부터—베르길리우스를 거쳐—무함마드가 다른 세계로 여행을 떠난다는 아라비아의 이야기 『미라지』에 이르는 다양한 원천 자료의 합성물이다. 『미라지』의 한 판본은 알폰소 10세의 명령에 따라 카스티야어로 번역된 뒤 라틴어, 프랑스어 그리고 아마도 단테가 읽었을 이탈리아어로 번역되었다. 내세의 복잡한 건축구조는 대체로 단테 자신의 것이었지만, 그 주춧돌은 호메로스의 것이었던 셈이다.*

단테의 시대가 고대의 재생이 이미 시작되고 있던 '대발견'의 시대였음을 이해해야 한다. 크리스토퍼 콜럼버스Cristoforo Colombo, 1451-1506가 1492년부터 네 차례에 걸쳐 수행한 대서양 횡단항해가 지리적 현실세계의 발견이었다면, 그로부터 200년 전에는 정신과 미의 차원에서 이상세계의 발견이 이루어지고 있었다. 단테의 시대에 그리스어와 라틴어로 쓰인 고전은 모든 지식의 절대 근원으로 여겨졌고, 고대저작을 중세 라틴어와 로망스 속어(중세 라틴어에서 갈라져 나온 속어들로서, 현대 프랑스어, 스페인어, 포르투갈어, 루마니아어 그리고 이탈리아어로 정착되었다)로 번역하는 거대한 사업이 진행되고 있었다.

* 알베르토 망겔, 김헌 옮김, 『일리아스와 오디세이아 이펙트』, 세종서적, 2012, 143-144쪽.

예컨대 14세기 중반에 번창한 페트라르카의 도서관은 고대저작의 번역과 주해, 발굴과 정리 그리고 출판까지 담당한 문화의 중심지였다. 페트라르카의 도서관은 고전의 발굴과 연구는 물론, 필사본 출판으로 고대문화를 보존하고 확산하는 데 대단히 중요한 역할을 했다. 페트라르카의 위대성은 문학을 작가와 독자의 감수성이 교환되는 통로로 만들어 근대적 개인의 감성을 정착시켰다는 데 있다. 페트라르카의 도서관에서 보카치오를 비롯한 당시의 많은 작가와 학자는 단테의 『신곡』을 읽고 베껴 쓰고 주석을 달면서 단테의 세계를 단테와 공유했을 텐데, 그런 관계의 형성은 단테가 충분히 기대하고 또 예상했던 것이었으리라. 그들에게 단테는 동시대인이면서 이른바 고전 작가이기도 했다.

베르길리우스와 단테의 성찰하는 개인

로마를 대표하는 고전 작가 베르길리우스는 『아이네이스』에서 이미 내세를 구상하고 재현해냄으로써 단테의 『신곡』에 영감을 제공했다. 내세여행의 측면에서 직계선배라 할 수 있기에 베르길리우스는 『신곡』에서 단테를 이끄는 길잡이로 자연스럽게 등장한다. 그런데 베르길리우스를 길잡이로 등장시킨 것은 바로 단테 자신이었다는 점을 간과할 수 없다. 단테만의 내세가 기다리고 있었지만 단테는 그리로 안내해줄 길잡이로 베르길리우스를 불러냈다. 자신의 내세로 가는데 왜 길잡이가 필요했을까? 자신만의 것을 자신에 속하지 않는 것으로 객관화해서 살펴보고 싶었던 것이 아닐까? 길잡이를 앞세우는 구도에서 뒤를 따르는 단테의 모습을 눈여겨볼 필요가 있다. 단테는 뒤를 따라가면서 서성거리고 두리번거린다. 목표를 향해 흔들림 없이 나아가는 일은 길잡이에게 맡기고 단테는 자꾸 뒤를 돌아본다. 그러면서 목표를 향해 나아가되 목표에 이르는 길

귀스타브 도레, 「베르길리우스와 단테 2」(1861).
여행을 떠나기 전 베르길리우스와 나란히 선 단테를 그렸다.

날이 저물어가고, 어둑한 하늘은
땅 위의 생명들을 그 고달픔에서
놓아주고 있는데, 나 하나 홀로

나아갈 길, 연민과 치를 전쟁을
준비하고 있었으니.
「지옥」 2곡 1-5

외젠 들라크루아(Eugène Delacroix, 1798-1863),
「단테의 배」(1822).

나의 길잡이는 배로 올라섰고,
그다음에 나를 자기 옆에 따르게 했다.
내가 타자 배는 비로소 뭔가 실은 듯 보였다.

길잡이와 내가 나무배에 오른 즉시,
낡은 뱃머리는 다른 자들을 태우던 때보다
더 깊게 물살을 가르며 나아간다.
「지옥」 8곡 25-30

의 의미를 성찰하는 모습을 보여준다.

성찰하는 태도를 보면 단테는 이른바 '근대적 개인'이라 할 만하다. 문제가 풀리지 않아도, 궁극의 해법을 구사하지 못해도, 문제를 부여잡고 서성거리는 가운데 계속해서 앞으로 나아가는 문제적 개인. 그런 그가 나아간 궁극의 지점은 행복을 보장하는 내세가 아니라 문제가 해결되지 않은 현실이었다. 현실을 품고 현실을 변화시키려는 열망이 내세를 둘러보게 한 근본 요인이었다. 세속적 근대 작가로서 단테는 고전적 틀에 자신을 맡기는 동시에 거기에서 반복적으로 벗어나면서 자기가 살아가는 세속의 현실을 더욱 긴 호흡으로 이해하고 재현한다. 그리고 저 언덕 위에 떠 있는 별을 향해 직진하는 대신에 지옥과 연옥의 고통을 견뎌야 하는 고달픈 처지를 호소한다. 그런 그의 순례는 또 다른 새로운 고전(이를 '근대적 고전'이라 말할 수 있을까)의 기원을 낳는 산실이 되었다.

그런데 어찌해서 내가 가야 하나요? 누가 그러라 하는지요?

「지옥」 2곡 31

단테는 언덕 위의 별로 나아가기 위해서는 지옥과 연옥을 먼저 둘러봐야 한다는 베르길리우스의 말에 그렇게 반문한다. 베르길리우스는 그 두 가지 질문 가운데 후자에만 길게 답한다(「지옥」 2곡 전체가 그 답으로 채워져 있다). 그의 답에는 베르길리우스 자신의 배후에 베아트리체와 루치아, 성모마리아가 겹겹으로 진을 치고서 단테의 순례를 도모하고 지원한다는 우주적 기획이 들어 있다. 그런데 베르길리우스는 어째서 자기가 가야 하느냐는 단테의 질문에는 답하지 않고, 단테도 답을 듣지 못한 채 길고 험난한 순례를 시작한다. 그 답은 순례 내내 찾게 될 것으로 생각한 듯하다. 과연 단테의 순례 과정 전체는 그에 대한 답으로 채워진다. 그러므로 순례를 함께 하는 우리도 『신곡』을 읽는 내내 그 질문을 떠올려야 한다. "어찌해서 내가 가야 하나요?"

나의 눈길을 끄는 것은 이유를 묻는 "어찌해서"라든가 당위를 묻는 "가야 하나요"보다 "내가"라는 주격 인칭대명사다. 단테는 지옥과 연옥의 순례를 '왜' 해야 하는지보다 왜 '자기가' 해야 하는지 더 알고 싶어 한다. 천국으로 직행하는 것도 아닌, 지옥과 연옥으로 향하는 우회의 순례를 왜 하필 자기가 해야 하는지 알고자 하는 마음은 그런 여행을 할 만한 자격이 있는지에 대한 회의에서 비롯되며, 자연스럽게 누군가 자신의 앞길을 인도해주기 바라는 마음으로 연결된다(따라서 앞의 두 질문에 대한 답들은 사실상 서로 연결되어 있다). 단테는 '누가 그러라 하는지' 물으면서, 자기에게 그런 일을 안겨주는 제삼의 존재를 떠올리고 싶어 한다. 길잡이를 먼저 앞세우려는 기획이 이미 마음 깊이 들어 있었던 셈이다.

그가 얼른 떠올리는 인물은 베르길리우스다. 베르길리우스가 쓴 『아이네이스』에서 주인공 아이네이아스는 살아 있는 육체를 지닌 채 지하세계를 여행한다. 그 여행은 장차 베드로의 성지가 될 로마 제국 건설로 이어지는데, 단테는 이것이 하느님의 섭리와 어긋나지 않는다고 말한다. 그러나 아이네이아스가 아닌 자기가 살아 있는 육체로 죽음 이후의 세계를 여행할 자격이 되는지 의심한다. 그 여행이 결코 쉽지 않으며, 인간에게 구원의 길을 제시하는 엄청난 사명이 깃든 과정임을 알기 때문이다.

단테는 누가 그런 여행을 하라고 하는지 물으면서, 그 '누구'를 직접 대면하고자 한다. 말하자면 그가 여행하게 되었을 때 그 여행의 기원에 있는 존재를 확실히 알고 싶은 것이다. 그래서 여행을 모두 마쳤을 때, 모든 여정은 처음부터 이미 사랑이 이끌고 있었음을,

사랑이 여행의 기원이었음을 깨닫는다. 단테의 여행을 배후에서 기획한 베르길리우스와 베아트리체, 루치아, 성모마리아는 다름 아닌 그 사랑이 시각화된 존재들이었다.

앞에서 인용했던 『신곡』의 마지막 구절을 다시 음미해보자.

여기서 높은 환상은 힘을 잃었다. 하지만
이미 나의 소망과 의지는, 똑같이
움직이는 바퀴처럼, 태양과 다른 별들을

움직이는 사랑이 돌리고 있었다.

「천국」 33곡 142-145

내세의 순례를 떠나면서 일찍이 의지했던 "높은 재능"과 "정신" 「지옥」 2곡 7-9 그리고 거기에 바탕을 둔 시인의 작가적 환상은 천국의 꼭대기에 오를수록 힘을 발휘하지 못한다. 창작을 더 이어나갈 수 없고, 구원의 기획을 계속 글로 쓸 수 없는 상태에 놓인다. 그러나 이미 처음부터 사랑은 구원을 기획했던 시인의 "소망과 의지"를 수레의 두 바퀴처럼 완벽히 조화롭게 돌리고 있었다. 그렇게 사랑은 온 우주의 조화를 구현하고 있었다. 조화를 향해 나아가는 구원의 힘과 원리는 사랑에서 나온다.

7 기원의 목소리

단테의 덕성

길버트 체스터턴Glbert Chesterton, 1874-1936은 고전을 읽는 것이 그것이 고전임을 자각하는 것과 반드시 연결되지는 않는다고 말한다.* 중요한 것은 독자가 고전을 자신의 맥락에서 해석할 때, 고전은 스스로를 가두는 일방적·획일적 정의와 범주에서 벗어나 자유로운 호흡으로 그 자체의 세계를 펼쳐 보인다는 점이다. 그것이 고전의 진정한 모습이다.

단테가 『신곡』에서 '나'를 강조하는 것은 바로 그렇게 하라는 권유다. 작가가 뮤즈에게 도움을 요청하는 모습은 일찍이 호메로스가 보여준 서사시의 기법이다. 호메로스는 『일리아스』에서 "노래하소서, 여신이여!"라고 하면서 뮤즈 스스로 말하게 하고 자신은 완전히 뒤로 물러나는 반면, 『오디세이아』에서는 "들려주소서, 무사 여신이여!"라고 하면서 자기가 창작의 신의 말을 듣고 전하는 꼴을 취한다. 호메로스가 『일리아스』와 달리 『오디세이아』에서 새로 도입한 이 방식은 베르길리우스와 단테에게서 재현된다.** 단테는 『신곡』의

* Chesterton, G.K., "Tricks of Memory,"
The Glass Walking Stick and Other Essays, London: Methuen, 1955.
** 호메로스, 천병희 옮김, 『일리아스』, 숲, 2007, 제1권 1행;
호메로스, 천병희 옮김, 『오뒷세이아』, 숲, 2007, 제1권 1-10행;

「지옥」「연옥」「천국」의 초반에 뮤즈를 불러낸다.

아, 뮤즈여, 높은 재능이여, 날 도우소서.
아, 내가 본 것을 썼던 정신이여,
여기서 그대의 고귀함이 드러나리라.
「지옥」 2곡 7-9

『일리아스』의 호메로스가 뮤즈의 말을 전하는 위치라면 단테는 뮤즈에게 자신이 말할 테니 그저 도와달라고 청한다. 듣기에 따라 자만하는 모습으로 비춰질 수 있으나, 자신이 맡은 특별한 사명을 자각하고 진지하게 임하는 태도가 더 두드러진다. 그런 면에서, 단테가 말하는 "높은 재능"은 뮤즈라기보다 작가이자 책의 주인공인 단테 자신이다. 재능은 곧 정신이며, 이때 정신은 기억을, 특히 기억과 결합되어 나온 책을 의미한다. 기억이 형식을 갖추고 보존하는 과정이라는 면에서 작가의식이 솟아오르는 것을 볼 수 있다. 그런 작가의식은 천국에서 만난 단테의 조상 카치아귀다가 이를 확인하고 인정할 때까지 『신곡』에서 계속해서 고양된다.

거기서 찾아낸 나의 보물이 미소를
짓고 있던 빛은 이제 햇빛을 받는
황금 거울처럼 찬란하게 되었다.

베르길리우스, 천병희 옮김, 『아이네이스』,
숲, 2011, 제1권 8-10행;
단테 알리기에리, 박상진 옮김,
『신곡』, 민음사, 2007,
「지옥」 2곡 7-9; 「연옥」 1곡 8; 「천국」 2곡 8-9.

그리고 대답하길, "검은 양심은,
자신의 또는 남의 부끄러움이든,
너의 말이 힘들다 느끼리라.

그래도 일체의 거짓을 끊은 채
네가 본 모든 것을 드러내면서
사람들의 가려운 곳을 긁도록 해주어라.

너의 목소리가 처음 맛에서는
쓸지라도, 소화가 될 때에는, 장차
생명의 양식으로 남게 될 것이니.

너의 외침은 마치 가장 높은 꼭대기들을
더 흔드는 바람처럼 될 것이니,
그것이 명예의 작지 않은 증거를 이룬다."

그래서 이 바퀴들에서, 산에서,
고통스러운 계곡에서, 명예로 알려진
영혼들만 너에게 나타났던 것이다.

듣는 자의 마음이란 알려지지 않고
감춰진 뿌리를 두는 예나, 혹은
명증하게 나타나지 않은 증거에 대해서는

믿음을 지니지도, 지키지도 않으리니."

「천국」 17곡 121-142

단테는 자신의 순례를 사람들에게 전하는 데 소심해하고, 특히 미래의 독자들이 『신곡』을 읽지 않을까 두려워한다. 그는 『신곡』이 긴 시간이 흐른 뒤에도 읽히기를 바란다. 따라서 그의 소심함은 글쓰기에 대한 소극성이라기보다 오랫동안 읽히는 글을 쓰고자 하는 마음가짐이라 볼 수 있다. 그런 그를 카치아귀다는 황금 거울에서 쏟아지는 빛과 같은 모습으로 격려한다. 작가 단테는 카치아귀다의 입을 빌려 자신의 작가의식을 간결하게 요약해 제시한다.

무엇보다 단테가 "검은 양심"이 자신의 글을 힘들어 하리라 생각한다는 점이 두드러진다. "검은 양심"은 지옥에 떨어질 속성이면서도 "가장 높은 꼭대기", 즉 사회의 상층부를 형성하기도 한다. 한편 단테의 글"외침"은 높은 곳에서 부는 바람과 같다. 그의 외침은 아래보다는 가장 높은 꼭대기를 더 세차게 흔들어대는 바람처럼 그의 명예를 보여줄 것이다. 그래서 그는 자신의 글이 그가 본 모든 것을 있는 그대로 드러내며 일체의 거짓이 없으리라 맹세한다. 또한 자신의 외침이 "듣는 자"의 염원에 부응하기를 원한다(단테가 상상하는 독자는 자신의 시를 읽기보다는 읽히는 것을 듣는 사람이다).

단테는 자신의 외침이 듣는 자에게 효과적으로 도달하기를, 영향을 미치기를 바란다. 이를 위해 그는 천국"바퀴"이나 연옥"산" 그리고 지옥("계곡")에서 만난 사람 가운데 이름이 널리 알려진 자들을 선별해 그들과의 만남을 소개한다. 알려지지 않은 사람들의 예를 들면 듣는 자가 믿을 수 없기 때문이다. 결국 단테의 목표는 보고 들은 모든 것을 자신의 목소리로 잘 전달해 사람들의 가려운 곳을 시원하게 긁어주는 데 있다. 양심이 제대로 서지 않은 자들은 단테의 목소리가 처음에는 힘들고 쓰게 느껴져도 이를 잘 듣고 새기면 궁극적으로 생명을 지탱하는 힘이 될 것이다. 이처럼 단테가 목소리를 내고 글을 쓰도록 이끄는 뮤즈는 다름 아닌 자신의 내면에서 솟아 나오는 지식인으로서의 사명감과 작가로서의 능력이고, 그것이 그의 명예를 높이고 지켜줄 것이라는 믿음이다('외침'grido에는 명예, 평판의 함의가 들어 있다).*

『신곡』의 여행, 단테의 여행

내가 시작했다. "날 인도하는 시인이여,
이 높은 발길을 나에게 맡기기 전에
나의 덕성이 충분한지 살펴보소서."
「지옥」 2곡 10-12

"높은 발길"은 내세를 통과하는 힘든 여정을 가리키지만, 그 구원의 여정을 기어이 밟아나가야 한다는 지식인의 책임의식도 깔려 있다. 그런데 책임을 완수하기 위해 단테가 필요하다고 생각하는 것은 "덕성", 즉 자신의 여정을 문학으로 표현하는 능력이다. 단테는 베르길리우스에게 자신의 작가적 능력이 충분한지 살펴달라고 요청하는데, 사실은 그러면서 자신의 능력을 스스로 북돋고 있다. "덕성"은 단테가 스스로 행하는 순례와 기억 그리고 시적 표현이라는 작가로서 지녀야 할 실질적인 능력을 가리킨다.

단테의 여행은 단테 자신의 여행이었다. 그래서 제목도 'Comedìa di Dante Alighieri', 즉 '단테 알리기에리의 코메디아'라고 붙였다. 『신곡』이 자신의 경험과 의식 그리고 내면에서 나온 것임을 강조하기 위해 단테는 주인공으로 등장한다. 그리고 인간을 구원의 길로

* 이렇게 단테는 작가로 돌아가서 글로 전하라는 명령을 여러 곳에서 받는다. 「천국」 27곡 64-66; 「연옥」 32곡 100-105, 52-57.

이끄는 엄청난 임무를 위태롭고 엄정하게, 때로는 격정적이고 온화하게 소화한다. '나' 개인의 여행이자 기억 그리고 기록이라는 점은 『신곡』을 이해하기 위해 아주 중요하다.

우리가 『신곡』을 적절하게 이해하기 위해서는 '나'라는 개념을 잘 분석해야 한다. 여기서 '나'란 단테와 같은 작가를 가리키기도 하고 독자를 가리키기도 한다. 작가를 가리킬 경우에는 『신곡』을 써내려간 존재를, 독자를 가리킬 경우에는 긴 시간 동안 단테의 외침에 귀 기울이고, 『신곡』을 고전으로 남게 하는 존재를 가리킨다. 단테 자신의 내세는 단테만의 것이다. 단테만이 본 것은 아니지만 단테 외에 어느 누구도 기억할 필요가 없는 곳이니까. 하지만 내세에서 일주일이라는 시간을 보낸 단테는 그에게만 주어졌던 내세를 기억하면서 써내려갔다. 그리하여 그의 내세는 글로써 자신이 보고 들은 것보다 더 생생한 이미지로, 그가 맡은 것보다 더 강렬한 냄새로, 우리를 엄습하고 짓누르며 에워싼다.

기원으로 존재하기

시공간적으로 너무 멀리 떨어진 우리에게까지 단테의 목소리가 청아하게 들린다면 그것은 우리가 조심스럽게, 때로는 적극적으로 그 목소리에 귀 기울이기 때문이다. 시인 단테는 진지한 열정을 지닌 동반자를 원한다. 함께 지옥과 연옥과 천국을 둘러볼 동료로 우리를 초대한다. 그리고 여행의 끝에서 우리도 새로운 목소리를 얻어 우리의 자리로 돌아가리라 기대한다. 이런 여행은 언제까지라도 되풀이된다. 구원을 부르는 단테의 목소리가 그칠 줄 모르고 지금 여기서 울려 퍼지고 있다.

이처럼 그 기원에서 울려 퍼지는 목소리를 듣는 것은 고전 『신곡』을 텍스트로 읽으면서 무한한 해석을 생산하는 데 필수적이다.

비록 육필원고는 남아 있지 않고 그저 인쇄본으로 그의 언어를 접하지만, 우리는 살아서 울려 나오는 그의 목소리를 듣는다. 단테가 천국의 소리로 상상한 다음악polyphony처럼, 독자의 목소리를 작가 단테의 목소리에 더해 여럿이 하나인 듯 조화롭게 울려 퍼지게 할 수 있다면, 그것이야말로 단테가 처음부터 구상했던 구원의 순례에 성공적으로 동행하는 일이다. 『신곡』은 이런 과정을 거쳐 진정한 보편적 가치를 지닌 고전으로 거듭날 것이다.

마치 주변의 흐름을 감싸고 한가운데 허공을 만든 채 수많은 물거품을 주조하고 물방울을 날리는 아감벤의 나선형 소용돌이처럼,* 단테는 역사 속에서 살아 움직이고 변화하며 관계를 형성하는 가운데 이어지는 기원으로, 그런 기원의 존재하기로, 우리에게 자신의 목소리를 들려준다. 우리는 기나긴 시간 동안 기꺼이 단테의 기원적 존재하기에 참여해왔다. 사실상 단테는 머나먼 시공간에 위치한 작가가 아니라 계속해서 시공간을 초월해 독자들이 어디에 있든 그들에게로 끝없이 귀환하는 작가다. 바로 그 점을 단테는 『신곡』을 쓰는 동안 날카롭게 인지하고 있었고 또 여러 곳에서 주저 없이 표현했다.

그리하여 이제 단테를 어떻게 읽느냐는 물음을 던지고 답을 내놓는 일도 그 자체로 단테가 이미 시작한, 단테라는 기원의 발산에 기꺼이 참여하는 즐거운 역사의 과정이 되는 것이다. 그 과정에서 『신곡』은 결코 완성되지 않는, 영원한 미완성의 텍스트로 우리 곁에 자리한다.

* 조르조 아감벤, 윤병언 옮김, 『불과 글』, 책세상, 2016, 96-100쪽.

3부

『신곡』 듣기

그가 나를 비밀스러운 것들 속으로 데려갔다.

「지옥」 3곡 21

1 낭송가 단테

당시 피렌체의 상황

문학이 생겨난 때부터 중세의 끝자락에 이르는 긴 시간 동안 문학은 말하는 자와 듣는 자 사이에 펼쳐진 직접 대화의 장이었다. 문학작품은 개인이 조용히 읽는 것보다 여러 사람 앞에서 낭독하는 것이었다. 특히 근대 이전에 문학의 주류였던 운문은 낭송을 위해 고안된 형식이라 해도 좋을 것이다. 하지만 산문이라고 해서 낭송하지 않았다는 얘기는 아니다. 예컨대, 운문과 산문의 복합체인 『새로운 삶』을 낭송할 때는 산문 부분은 해설하듯이, 운문칸초네 부분은 감정을 넣어 노래하듯이 낭송해야 글을 맛깔나게 음미할 수 있다. 『신곡』은 전체가 운문으로 되어 있지만, 부분마다 해설 역할을 하는 부분과 시의 느낌을 더욱 도드라지게 하는 부분이 따로 있다.

역사가 조반니 빌라니Giovanni Villani, 1275-1348에 따르면 단테 시절 피렌체의 식자율은 중세 유럽 평균치인 10퍼센트를 훨씬 상회했다. 피렌체 시민의 절반 이상은 글을 읽고 쓸 줄 알았다. 피렌체가 금융은 물론 문화의 새로운 중심지로 성장하게 된 역사와 상응하는 현상이었다. 상인은 물론 노동자도 어느 정도 교육받았고, 빌라니 사후 1세기가 지난 후에는 피렌체 시민의 80퍼센트가 남의 도움을 받지 않고 세무신고서를 작성하기에 이르렀다.* 단테의 글은 나오는 즉시 보급되었고, 적어도 피렌체에서는 인구의 저변에서도 대량 소비되었다.

하지만 식자율이 높았어도 인쇄술이 발명되기 전이라 책 자체가 귀해 제대로 유통되지 못했다. 개인이 책을 열 권만 소장하고 있어도 장서가로 대접받던 상황에서, 교육이나 연구의 필요에 맞춰 책을 접하기는 아주 어려운 일이었다. 따라서 교육이나 연구는 주로 말하기와 듣기 그리고 어느 정도 강제적인 기억으로 수행되었다. 이런 여건에서 『신곡』은 일차적으로는 필사본으로 유통되는 한편, 그 책을 여러 사람 앞에서 소리 내어 읽거나 아예 책을 보지 않고 암송하는 사람이 생겼을 것이다. 그리고 그들 주변에 독자들이 모여 눈으로 읽기보다는 귀로 청취하는 자리가 여기저기서 만들어졌을 것이다. 단테가 죽을 때 아홉 살이었던 보카치오는 이후 최초의 단테 학자가 되었고, 피렌체시의 요청을 받아 시민을 대상으로 「지옥」을 강연하기도 했다. 이때도 『신곡』을 책으로 손에 들고 있던 사람은 결코 많지 않았겠지만, 『신곡』의 본문을 귀로 들어본 사람은 상당히 많았을 것이다.

무엇보다 단테가 『신곡』을 쓸 당시 유럽에서는 모든 책을 필사본으로 제작하고 공급했다. 본디 필사는 손이 많이 가는 작업이고, 필사본 자체가 워낙 귀했던 탓에 지극히 제한된 사람들에게만 공급되었다. 이러한 상황에서 『신곡』도 예외는 아니었을 것이다. 단테는 20년 남짓한 망명생활 동안 『신곡』의 집필을 중단하지 않았다. 그는 「지옥」「연옥」「천국」을 차례대로 완성했고 각각은 완성되는 대로 시중에 공급되었을 텐데, 그 형태가 필사본이었기에 제한된 양일 수밖에 없었을 것이다. 그러나 단테가 살아 있는 동안 『신곡』은

* Black Robert, *Education and Society in Florentine Tuscany*, Leiden and Boston, 2007, p. 3.

이미 꽤나 널리 알려진, 유명한 작품이었다. 필사본 『신곡』은 어떻게 널리 유통될 수 있었을까? 여기서 우리는 낭송하는 단테의 모습을 떠올릴 수 있다.

샤를 마르텔과 낭송

그렇게 빛을 뿜으며 내게 말했다.
「천국」 8곡 49

단테가 천국의 금성 하늘에서 만난 이 "빛"은 샤를 마르텔Charles Martel, 1271-95을 가리킨다. 마르텔은 샤를 앙주 2세와 헝가리 왕의 딸 마리 사이에서 태어났다. 그는 합스부르크가의 클레멘차와 결혼해 자식 셋을 두었는데, 스물네 살 되던 1295년 피렌체를 방문하다가 콜레라로 죽었다. 빌라니의 『연대기』에 따르면 그는 피렌체에서 환대받아 20여 일을 머물렀다. 이때 단테를 만났고 둘은 꽤 깊은 관계를 유지한 듯 보인다. 이는 천국에서 마르텔이 넘치는 애정을 담아 단테의 『향연』 제2권을 여는 칸초네의 첫 구절("세 번째 하늘을 지성으로 돌리는 그대들이여"Voi che'ntendendo il terzo ciel movete. 36-37)을 인용한 사실에서도 미루어 짐작할 수 있다. 마르텔은 노래와 춤을 멈추고"잠깐의 고요". 「천국」 8곡 39 천국에서 다시 만난 단테를 이렇게 환영한다.

세상에서 그대는 전에 그들에게 말했지요.

'세 번째 하늘을 지성으로 움직이는 그대들이여'.
우리는 사랑으로 가득하니, 당신이

기쁘시도록, 잠깐의 고요도 달콤하리오."

「천국」 8곡 36-39

마르텔은 단테가 정치에 본격적으로 참여하기 전에 세상을 떠났다. 그 때문인지 단테는 마르텔을 정치가보다는 문화적인 인물로 간주했던 것 같다. 단테는 마르텔을 천국에 배치하고 "거룩한 빛"으로 칭송하는데, 이 "거룩한 빛"은 금성을 가리킨다. 금성은 사랑의 행성이면서 수사법과 관련된 행성이다.*

마르텔이 프랑스와 나폴리의 기사 200여 명을 거느리고 피렌체를 방문했을 때 축제와 연설, 미사, 연주회 그리고 화려한 음악과 볼거리가 피렌체 시내를 가득 채웠다. 피렌체의 어느 사료보관소에는 마르텔 환영행사를 위해 금실로 짠 섬유 구입을 승인하는 내용의 문서가 보관되어 있기도 하다.** 단테는 당시 마르텔이 참석한 행사에서 나중에 『향연』과 『시집』 그리고 「천국」에서 글로 남기게 될, "세 번째 하늘을 지성으로 움직이는 그대들이여"로 시작하는 칸초네를 낭송했다.*** 이 칸초네는 죽은 베아트리체를 잊지 못하여 문학적 이상의 반열에 올리려는 염원과 더불어 철학을 의미하는, 이른바 '창가의 여인'을 향해 나날이 커져가는 새로운 열망을 담고 있다.

* 행성에 의미를 부여하는 알레고리의 방식을 따르면,
우주 천체는 중세의 일곱 개 학문과 관련된다. 달-문법,
수성-변증법, 금성-수사법은 지구와 가까운 행성들로 3학을 이루고,
태양-대수학, 화성-음악, 목성-기하학, 토성-천문학/점성학은
그다음에 오는 행성들로 4학을 이룬다.

** Vernon William Warren, *Readings on the Paradiso,* Vol. 1., London, 1909, p. 255.

*** 『향연』의 제2권 서두에 나오는 첫 번째 칸초네의 첫 문장이며,
『시집』(*Rime,* Michele Barbi 엮음, Società Dantesca Italiana)의
제79번 시로 수록되었고, 「천국」(8곡 36-37)에서 인용된다.

존 플랙스먼(John Flaxman, 1755-1826), 「샤를 마르텔」.
금성의 하늘에서 단테와 베아트리체가 마르텔을 만나는 장면이다.
단테는 마르텔을 천국에 놓고
금성을 가리키는 "거룩한 빛"으로 칭송한다.

단테가 천국에서 다시 만난 마르텔은 단테에게 과거에 단테 자신이 낭송했던 그 칸초네를 상기시킨다. 피렌체의 저 화려했던 향연에서 자신의 시를 낭송하던 단테의 모습이 떠오르는 듯하다.

원문의 낭송

사람들은 보통 「지옥」을 즐겨 읽고 익숙하게 느끼지만, 엘리엇은 「천국」을 좋아하여 침대에 누워서나 여행할 때나 어디서든 이탈리아어로 크게 소리 내어 읽곤 했다. 『신곡』을 읽는 방법으로 유력한 것은 낭송이며, 특히 이탈리아어로 크게 구술해야 제맛이 난다. 호사가의 말이 아니다. 아르헨티나 작가 호르헤 보르헤스Jorge Borges, 1899-1986 또한 이 점을 강조했다.* 구술하고 사람들과 함께 듣는 것은 시를 읽는 이상적인 방법이다. 우리는 『신곡』을 시로 대해야 한다. 단테가 혼자 입으로 우물거리며 썼을, 또는 여러 사람 앞에서 크게 낭송했을 그 시어들을 우리 입으로도 발음하는 경험이 필요하다.

물론 이탈리아어를 모르거나 이탈리아어에 익숙하지 않은 독자라면, 심지어 이탈리아어를 오랫동안 접한 사람이라 할지라도, 단테의 시어를 구술하는 동안 그 음과 운의 맛을 느끼기보다는 내용과 의미를 파악하느라 더 바쁠지도 모른다. 하지만 1만 4,233줄에 이르는 장대한 시행이 음과 운의 율동에 따라 한 치의 어긋남 없이 소리를 내는 정교한 합주에 귀를 기울이는 것은 그야말로 놀라운 경험이다. 내용과 의미의 파악이나 이해는 그 뒤에 이어진다. 『신곡』에서 영감을 얻은 유럽의 수많은 작가와 예술가는 『신곡』을 이탈리아어로 읽기 위해 기꺼이 이탈리아어를 배우고자 했다. 그들은 번

* Jorge Luis Borges, *Seven Nights*, New Directions, 1984, pp. 9-10.

역문이 아닌 원문 강독에서 『신곡』 고유의 의미를 찾고자 했지만, 발화에서 맛보는 독특한 청각적 분위기도 기대했을 것이다. 『신곡』을 채운 이탈리아어 고유의 가치는 여기서 확인된다.

운율을 살리는 번역의 어려움

외국의 단테 학자들은 『신곡』을 한국어로 옮길 때 운율을 어떻게 처리했는지 묻고는 한다. 분명 번역문이 반드시 원문처럼 운율을 살릴 필요는 없고 또 가능하지도 않다. 영어처럼 같은 알파벳을 사용하는 언어라도, 『신곡』 원문의 운율을 살리고자 했던 번역이 성공한 예는 없다. 그렇다고 다른 언어로 번역된 『신곡』이 그저 내용 전달만으로 충분하다고 여길 필요도 없다. 엘리엇은 『신곡』은 번역 과정에서 비교적 덜 잃는 작품이라고 말하는데, 『신곡』이 잃지 않는 것은 내용은 물론이고 그것이 뿜어내는 고유의 아우라를 가리킨다.

그런 의미에서 예컨대 한국의 『신곡』은 이탈리아의 『신곡』이 지닌 원래의 아우라를 많은 부분 유지한다. 또는 이탈리아의 『신곡』과는 또 다른 형태의 아우라를 창출할 수도 있다. 물론 그 아우라도 이탈리아의 『신곡』에 잠재된 아우라의 일부다. 그렇다면 그 아우라는 어떻게 드러날까? 낭송은 아우라를 풍기고 느끼는 데 크게 이바지한다. 신비롭게 들릴지 모르나, 번역문이라도 소리 내어 낭송하는 것과 눈으로 읽는 것은 분명 다르다. 사실 번역된 모든 시가 그런 낭송의 효과를 내지만, 『신곡』의 경우는 몇 가지 점에서 도드라진다.

삼연체기법으로 전체가 하나로 통일된 덩어리를 다른 언어로 옮긴다는 것은 잔인할 정도로 어려운 일이다. 삼연체기법은 하나의 각운이 행을 건너뛰어 두 번 반복되면서 모두 세 번 반복되는 운율 기법을 말한다. 이를 지키기 위해 단테는 세 번 반복되는 두 개나

세 개의 음절을 약 5,000번 정도 동원했다. 이탈리아어 단어는 대개 모음으로 끝나기 때문에 자음보다 훨씬 적은 모음으로 각운을 맞추는 것은 비교적 쉽지 않느냐고 반문할 수도 있다. 하지만 삼연체기법에 더해 1만 4,233행 각각을 11개의 음절로 맞추는 십일음보형식을 엄격하게 지키고, 그렇게 촘촘하게 꽉 짜인 운율구조 속에 심오한 내용을 담아냈다는 점을 생각하면, 단테가 남긴 글은 거의 기적에 가깝다.

『신곡』을 다른 언어로 번역할 때 이런 운문형식을 살리는 것은 불가능하고 무의미하다. 영어 번역본 가운데 나름대로 운을 맞추려고 한 책이 몇 있다. 그런데 이탈리아 원문의 낭송이 아주 부드러운 반면에 그런 책들은 얼마나 거칠고 조야한지 소리 내서 읽기가 여간 까다롭지 않다. 게다가 운율을 유지하는 일에 신경을 쓰다 보니 주제와 내용을 전달하는 가독성은 현저히 떨어질 수밖에 없다. 소리 내어 읽는 일에만 신경 써야 해서 내용을 이해하는 일이 쉽지 않다. 그에 비해 이탈리아어 원문은 물 흐르듯 읽히는 동시에 내용이 그 물 위를 떠내려가는 꽃잎처럼 마음에 사뿐히 들어와 놓인다.*

음과 운을 맞추는 것은 이탈리아어의 경우에만 어울리는 일이며, 다른 언어로 옮길 때는 방해가 될 뿐이다. 번역을 아무리 잘한다 하더라도 『신곡』의 원문이 지닌 음과 운을 살려낼 수는 없다. 번역자는 단테의 목소리를 더 잘 담아낼 수 있는 길을, 독자는 단테의 마음에 더 잘 들어가는 길을 찾아야 한다. 『신곡』의 아우라를 공유하

* 그렇다고 단테의 언어가 언제나 부드럽다는 얘기는 아니다.
내용을 손에 잡힐 듯 떠올리게 한다는 뜻이다.
예컨대 처절한 고통의 현장을 묘사하는 「지옥」의 언어는
거칠기 짝이 없다. 단테의 언어는
그것이 담는 내용에 조응하는 면모가 두드러진다.

고자 한다면 운율을 기계처럼 흉내 내지 말고 단테 고유의 목소리를 번역어의 소리에 담는 작업이 무엇보다 중요하다.

이탈리아어의 음과 운이 배제된 채 전혀 다른 발음과 어순과 문법을 지닌 외국어로 『신곡』을 소리 내어 읽을 때에도 낭송의 효과는 유지된다. 비록 이탈리아어의 음과 운은 살리지 못하더라도, 낭송이 발휘하는 힘은 번역된 『신곡』에서도 충분히 나타난다. 크게 또는 나지막이 소리 내어 읽으면 한국의 『신곡』 독자들도 「지옥」에서 피어오르는 불꽃과 연기, 신음이 함께 읽는 사람 사이에서 떠도는 것을 느낄 수 있을 것이다.

2 음독과 묵독

프란체스카와 파올로가 읽은 방식

라틴어 legere는 audire와 혼용되는데, 전자는 '읽다'의 뜻이, 후자는 '듣다'의 뜻이 있다. 이때 '듣다'는 '이해하다'의 의미를 내포한다. 따라서 읽는 것은 들으며 이해한다는 의미다. 중세에도 혼자 읽거나 묵독하기도 했으나, 이 경우도 legere sibi[중얼대며 읽기]처럼 '듣다'를 동시에 의미하거나, tacite legere[입을 다물고 읽기]처럼 '듣다'가 잠재하는, 기본적인 '읽기'의 변형이었다.

단테가 지옥의 두 번째 고리에서 만난 애욕의 죄인 프란체스카와 파올로는 처지가 비슷한 랜슬롯과 기니비어의 이야기를 읽다가 사랑을 확인하고 용서받지 못할 관계를 맺는다. 그들을 애욕의 죄인으로 만든 그 독서는 과연 각자 눈으로 읽는 묵독이었을까? 아니면 남에게 들키지 않게 둘만 알아들을 수 있는 소리로 읽는 음독이었을까? 둘만의 은밀한 독서로 비로소 서로의 사랑을 확인하고 금지된 사랑의 늪으로 걷잡을 수 없이 빠져들었다는 점을 생각하면, 그들이 책을 읽는 동안 서로 분리된 채 각자 개인의 세계에 머물지는 않았을 것이라고 추정할 수 있다. 각자의 눈으로 각자의 속도에 따라 문자를 훑어보는 것이 아니라, 입을 열어 소곤거리면서 서로 속도를 맞추어 문자를 입술과 혀로 옮기고 귀를 통과시켜 고막을 울리게 했을 것이다. 그런 소리에 함께 휩싸인 채 같은 경험을 같은 곳에서 같은 때에 하고 있는지 이따금 서로 눈을 맞추며 확인하다가 어떤 환상적인 느낌에 사로잡혔을 것이다. 그들이 마지막으로 눈을 맞춘 것은 둘만의 공통된 청각경험이 절정에 이르렀을 때가 아니었을까? 그 순간은 이렇게 묘사된다.

그렇게 읽다보니 우리는 여러 번
눈을 마주쳤고, 얼굴은 창백해졌지요.
우리는 단 한순간에 무너졌어요.

사랑에 빠진 그 연인이 오랫동안 기다린 입술에
입 맞추는 대목을 읽었을 때,
언제고 나와 떨어진 적이 없는 그이는

너무나 떨리는 입술을 내 입에 맞추었지요
갈레오토는 그 책을 쓴 사람이었어요.
우리는 그날 더 이상 읽지 못했어요.

「지옥」 5곡 130-138

책은 둘의 사랑을 중계하고 증거한다. 둘은 불륜의 사랑을 품고 있었으나 내비치지 못하다가 책을 읽으면서 비로소 사랑의 관계를 맺는다. 책을 읽으며 달싹이던 각자의 입술이 상대의 입술에 포개지면서 소리는 촉감으로 바뀐다. 그리고 촉감이 소리를 대체하면서 그들의 독서도 끝난다. 소리와 촉감이 포개지는 바로 그 순간이 그들 독서의 절정이었다. 책을 읽는 행위가 이처럼 청각과 시각, 촉각과 어우러지는 경우가 또 있을까?

단테이 게이브리얼 로세티(Dante Gabriel Rossetti, 1828-82),
「파올로와 프란체스카 다 리미니」(1867).
왼편에는 나란히 앉아 책을 읽는 파올로와 프란체스카의 모습이,
오른편에는 지옥의 두 번째 고리에서 폭풍에 휘말리는 둘의 모습이,
가운데는 그 둘을 바라보는 단테와 베르길리우스의 모습이 그려져 있다.

혼자 하는 음독과 묵독

혼자서 말하고 혼자서 듣는 식의 음독도 생각해볼 수 있다. 대본을 연습하거나 시를 외우거나 한번 쓴 원고를 교정할 때 흔히 일어나는 일이다. 그때 나는 나의 세계를 형성하고 그 속에 기거한다. 하지만 그것은 묵독하며 빠져드는 개인의 세계와는 다르다. 혼자 하는 묵독은 개인의 세계를 고립시키지만, 혼자 하는 음독은 개인의 세계를 복합적으로 만든다. 묵독이 개인의 세계를 고립시키는 것은 문자를 분석하기 때문이고, 음독이 개인의 세계를 복합적으로 만드는 것은 문자를 음미하기 때문이다. 묵독은 문자가 지니는 의미를 자꾸 그 문자에서 미끄러지게 하며 한없이 쪼개지는 의미의 파편을 경험하게 하지만, 음독은 문자 자체를 인지하게 하면서 그것이 가리키는 어떤 지점, 거기에 놓인 의미와 느낌, 풍경, 사건 따위를 '우선' 경험하게 한다.*

인쇄술이 보급된 후, 소리 내는 언어의 문화가 눈으로 보는 언어의 문화에 자리를 내주면서 똑같은 시간에 똑같은 장소에서 의미가 발생하는 현상은 사라졌고, 음과 운을 살려 소리 내어 유창하게 읽기 위해 필요한 발음법이나 음조도 가능한 한 평이하게 변했다. 소리는 한 개인이 스스로의 내면을 형성하고 스스로와 대화하게 할 뿐 아니라 다수를 하나로 모으는 기능을 한다. 그렇다고 한 개인의 내면을 배타적 밀실로 만들거나 여럿을 전체주의적 집단화로 몰아간다는 의미는 결코 아니다. 물론 중세에 그런 분위기가 존재했다는 사실은 부정하기 힘들다. 종말론이 지배하는 세상에서, 개인이

* 이 대목을 놓고 누군가는 자크 데리다(Jacques Derrida, 1930-2004)의 로고스 중심주의 비판을 떠올릴 수 있겠다. 나중에 이 주제를 다시 다룰 것이다.

내면의 밀실에 들어가 사색하는 것도 아니고 광장에서 사람들을 만나 대화를 나누는 것도 아닌, 현실에 대한 수동적 분위기만이 전체를 무겁게 짓누르는 사회가 오랫동안 이어졌다. 그러나 소리 내서 문자를 읽는 행위가 다수의 경험을 하나로 모은다는 것은 그러한 획일적 집단화와는 전혀 다른 의미를 지닌다. 오히려 개인의 밀실에서 벗어나 광장에서 사람들과 대화를 나누는 일에 훨씬 더 가깝다. 그리고 혼자서 하는 음독은 여럿이 하는 대화를 홀로 경험해보려는 노력에 속한다.

3 소리

소리의 시대, 문자의 시대

문자가 말보다 우월하다는 인식은 어느새 전통이 되어버렸다. 하지만 오늘날 과학기술문명과 함께 비문자매체가 엄청나게 발전하면서, 전통적 인식이 더는 이전과 같은 힘을 발휘하지 못하는 것 같다. 문자가 말보다 우월하다는 인식에는 무질서한 상태에 놓인 말을 문자가 시각적으로 정확하게 배열하고 보여준다는 확신이 깔려있다. 그 확신은 언어는 곧 문자라는, 유럽 중심의 오랜 고정관념도 반영한다. 하지만 그런 생각은 불과 지난 500여 년 동안만 유효했을 뿐이다.

단테는 주변을 뒤덮고 있던 소리의 세계에 익숙했다. 시장은 온갖 외침으로 떠들썩했고, 넘쳐나는 문맹자들은 입으로 마음껏 소리내며 소통에 별 불편을 느끼지 않았으며, 수도사는 식사 시간에 책을 크게 낭독했다. 대학에서 학생은 교수의 가르침을 귀로 들은 다음 입으로 소리 내어 반복했고, 시험은 모두 구술이었다. 물론 단테는 『신곡』을 처음부터 문자로 썼다. 하지만 나중에 인쇄문화에서 절대적 우위를 점하게 되는 문자의 시각적 효과는 『신곡』에서 배타적으로 작동하지 않는다. 인쇄문화는 우리의 감각 가운데 유독 시각을 발달시키는 반면, 청각을 비롯한 다른 감각을 약화시키거나 둔화시켰다. 특히 청각은 작가 단테가 글을 구성하면서 유독 신경 썼던 소통의 필수요소다. 그의 글을 온전히 대하고 싶은 독자라면 반드시 유념해야 할 사항이다.

쓰는 것은 허공에 떠다니는 말을 포획하는 일이다. 거꾸로 소리 내어 읽는다는 것은 포획된 말을 풀어 움직이게 하는 일이다. 말이 움직인다는 것은 소리를 낸다는 것을 가리킨다. 책을 눈으로 읽기보다 입을 열어 소리 내어 읽는 것은 육체적·물질적 힘을 더 기울이는 일이다. 그만큼 책에 새겨진 문자에 내재한 세계에 더 적극적·집중적으로 빠져들게 하며, 동시에 그 세계가 자신의 내면에서 더 크게 공명하게 한다.

분명 단테는 『신곡』을 묵독보다는 음독하는 작품으로 의식하며 썼다. 하지만 엄연히 『신곡』은 처음부터 지금까지 문자로 쓰인 책으로 존재한다. 지난 500년 동안 지속된 구텐베르크 은하계 속에서 우리는 『신곡』을 인쇄된 문자로 대하며 내용을 파악하고 음미했다. 처음에 단테는 문자라는 그릇에 소리를 넣었지만, 시간이 지나면서 소리는 희미해지고 그에 비례해 소리를 담았던 문자의 시각적 효과는 강해졌다. 그리하여 우리는 이제 문자의 소리를 듣지 않고 눈으로 문자를 대하는 데 익숙해졌다. 문자가 우리 몸에 배어들자 우리 몸은 침묵에 익숙해지고 말았다.

문자는 언제나 저편에서 우리의 눈길을 마냥 기다릴 뿐이지만, 소리는 언제나 먼저 우리에게 다가온다. 우리는 종이 위에 쓰인 글자는 무시할 수 있지만 들려오는 소리는 결코 무시할 수 없다. 글자를 무시해도 글자는 우리에게 아무것도 할 수 없지만, 소리를 무시하면 그 소리를 낸 것은 우리에게 뭔가를 할 수 있다. 쓰인 문자는 일부러 눈의 초점을 맞춰 들여다보아야 하지만, 소리가 들리면 본능적으로 즉각 주의를 기울이게 된다. 소리는 사라지려 할 때에만, 또는 사라짐 그 자체로 존재하기 때문이다. 문자에 비해 소리는 자신의 존재를 적극적이고 확고하게 각인시킨다.

류트와 북으로 묘사되는 위조범 아다모

단테는 지옥과 천국의 결정적 차이로 소리를 제시한다. 지옥에 없는 조화로운 소리가 천국에는 넘쳐난다. 조화로운 소리를 구체적으로 들려주기 위해 단테가 선택한 예는 당시 가장 발달한 음악형태였던 다성악이었다. 다성악의 노랫소리는 연옥에 들어서면서부터 단테의 귀에 들려오기 시작한다. 하지만 지옥은 다성악은 물론 음악이라 할 만한 소리가 아예 없는 곳이다. 『신곡』에는 인간의 목소리를 비롯해 음률을 내는 많은 악기가 등장하지만 지옥에는 그런 악기가 전혀 존재하지 않는다. 예외적으로 류트가 나오는데, 그마저도 음률을 내는 류트가 아니라 음을 내지 못하는 북의 비유로만 등장한다.

나의 눈을 내내 사로잡고 있던
그 분노한 둘이 지나가고 나서
잘못 태어난 다른 자들로 눈을 돌리다가

류트 모양을 한 자가 보였는데, 그는
사람이 갈라지는 바로 그곳에서
사타구니가 완전히 잘려나가 있었다.

「지옥」 30곡 46-51

그러자 그들 중 하나가 이렇게 역겹게
이름이 불린 것에 기분이 나빴는지
아다모의 딱딱한 배를 주먹으로 쳤다.

그것은 마치 북처럼 소리를 냈다.

「지옥」 30곡 100-103

단테는 피렌체의 금화위조범이었던 아다모를 류트와 북으로 묘사한다. 아다모의 부어오른 몸은 류트처럼 생겼지만, 나중에 다른 죄인이 그의 배를 쳤을 때 류트보다 저급한 악기로 취급받던 북의 부조화스러운 소리를 낸다. 류트는 단테 당시부터 16세기 이후까지 유럽에서 유행했던 십자 모양 현악기로 만돌린과 비슷하다. 『신곡』에서는 살이 찌거나 임신한 모양처럼 비대하고 뚱뚱한 몸집"부어오른 몸". 54 , "딱딱한 배". 102을 비유한다.

사실 류트는 불협화음이 지배하는 단테의 지옥에서 유일하게 음률을 내는 악기로 등장한다. 하지만 그 지옥의 류트는, 정확히 말해 류트처럼 생긴 아다모의 "딱딱한 배"(지옥의 문에 쓰인 딱딱한 글자를 연상시킨다)는, 정작 류트소리는 내지 못하고 음률이 없는 북소리를 낸다는 면에서, 류트가 아니라고 봐야 한다. 위조범은 위조라는 죄의 속성에 어울리게 처음에는 자신의 정체를 감추거나 좀더 고상하게 포장해보지만, 그의 위조경력은 내면에 이미 소리의 형태로 들어 있었다.

시각은 외부를 지각하고 청각은 내부를 확인한다. 시각은 드러난 표면을 비추고 청각은 숨겨진 내부를 탐사한다. 류트처럼 생긴 아다모의 배가 "마치 북처럼 소리를" 낼 때, 분명 단테는 시각과 청각의 불일치를 고려한 듯 보인다. 지옥에서 고통받는 위조범의 잡스러운 몸통이 비록 겉으로는 류트의 꼴을 하고 있지만 그 내부에서 나오는 잡소리는 류트보다 저급한 악기로 취급받던 북의 소리였고, 이렇게 죄인의 진짜 정체가 드러나는 것이다. 단테는 그렇게 류트인 척한 북이라는 비유로 아다모가 지은 위조죄의 속성을 잘 표현해낸다.

소리의 내부

시각은 외부를 어루만지지만 청각은 내부로 스며든다. 단테는 내세의 풍경을 하나하나 바라보고 내세의 여러 소리에 둘러싸여 발걸음을 옮길 때 그 소리가 자신의 내면에서 되울리는 것을 느낀다. 풍경은 언제나 단테의 시야 앞에, 즉 정면에 위치하지만 소리는 전후좌우에 퍼져 있다. 보는 사람은 보는 대상의 외부에 위치하지만 듣는 사람은 듣는 대상의 내부로 들어간다. 사실 단테는 듣는 대상의 내부로 들어가기 전에 이미 그 대상의 일부가 되어 있었다. 풍경이 단테의 내면으로 들어올 때 단테와 풍경은 분리에서 연결로 나아간 것이지만, 소리가 단테의 내면에 들어올 때 단테는 '이미' 그 소리의 내부에 들어가 잠겨 있었다.

그러한 경험은 단테가 나중에 연옥의 꼭대기에서 보는 대로 변하는 그리핀과 마주쳤을 때 깨달은 구원의 본질이며, 또한 절대자의 얼굴과 연결된다.

불꽃보다 더 뜨거운 천 개의 욕망은
나의 눈을 아직 그리핀 위에
고정하고 있던 빛나는 눈으로 이끌었다.

거울 속의 햇살처럼, 바로 그렇게
이중의 짐승이 그 안에서 때로는 이 모양
때로는 저 모양으로 어른거렸다.

독자여, 생각해보라, 그 자체로는

변함이 없으면서 그 형상은 변하는 것을
보고서 내가 놀라지 않았겠는가!
「연옥」 31곡 118-126

단테는 죄를 씻는 일이 끝나는 연옥의 꼭대기에서 그리핀과 마주친다. 구원을 향한 욕망으로 가득한 그의 눈은 그리핀을 직접 보지 못하고 그리핀을 보는 베아트리체의 눈을 본다. 그의 눈 속에 그리핀은 마치 거울에 되비치는 햇살처럼 어른거린다. 그리핀은 하나의 대상이되 하나의 형상으로 고정되지 않고 다양한 형상으로 변한다. 보는 사람이 어디서 어떻게 보느냐에 따라 달라지는 것이다. 그리핀은 단테가 보는 대로 변하면서 단테와 분리되지 않는다. 그리핀은 연옥에서 죄를 씻은 자들이 장차 만나게 될 구원자의 예시다. 나중에 천국에 올랐을 때 단테가 결국에 알아낸 것은 구원을 내리는 절대자가 인간과 '이미' 하나였다는 사실이다. 동시에 인간 스스로 그렇게 추구하는 한에서 그러하다는 것도 알게 된다.

빛과 소리

순례자 단테가 내세를 경험하는 주된 방식은 보는 행위다. 보는 행위에서 빛은 필수적이다. 빛 없이는 볼 수 없기 때문이다. 그런데 빛의 작용은 그 자체로 역설적이다. 순례자는 지옥에서는 빛이 전혀 없어서 보지 못하고 천국에서는 빛이 너무 많아서 보지 못한다. 여기서 '본다'는 것은 특히 육체적인 작용을 말한다.

나는 아래로 숙였지만, 살아 있는 눈은
어둠으로 바닥까지 이르지 못했고,
하여 내가, "선생님, 다음 둔덕에 이르시면,

이 다리 아래로 내려가시지요.
여기서는 들려도 알 수가 없고, 또
아래가 보여도 전혀 못 알아보니까요."

「지옥」 24곡 70-75

단테는 절도죄를 저지른 죄인들이 활 모양 다리 아래에서 뱀들과 뒤엉켜 고통받는 곳에 도착했다. 죄인들이 서로에게 저주와 원망을 퍼붓는 소리가 들려와 그쪽으로 시선을 향하지만, 워낙 어두워서 잘 보이지 않는다. 지옥은 원래 빛이 없어 어두운 곳이지만, 위의 장면에서 어둠은 어둠을 더한다. 연옥이 빛을 향해 나아가는 세계이고 천국이 빛 자체로 이루어진 세계라면, 지옥은 빛이 부재하는 세계다. 그럴 때 지옥의 어둠을 뚫는 것은 빛이 아니라 소리다. 순례자는 소리가 들리는 곳으로 내려가 무수한 뱀과 뒤엉킨 망령들을 만나는데, 이때 순례자를 이끄는 것은 시각이 아니라 청각이었다. 순례자는 그곳에서 들리는 소리의 정체를 알고 싶어 했다. 지옥에서 순례자는 대개 시각보다는 청각에 자극받아 이를 따라간다. 지옥에서 빛과 어둠의 대비는 잘 나타나지 않는다. 대신 소리와 침묵의 대비가 훨씬 더 확연하게 나타난다.

시각의 세계에서 사물은 순서에 따라 존재하고, 청각의 세계에서 사물은 동시에 존재한다. 시각적 이미지에 비해 소리는 분명 순례자의 감정을 더 쉽게 동요시키는 요소다. 『신곡』에서 만나는 수많은 일화에서 독자는 회화 이미지보다 청각 이미지를 맛본다. 단테를 처음 만났을 때 베르길리우스는 지옥 방문을 예고하면서 먼저 "좌절의 울부짖음을 들을 것"이라고 말하고, 이어서 "고통받는 옛날의 영혼들을 볼 것"이라고 경고한다[「지옥」 1곡 115-117]. 지옥은 처음부터 눈보다는 귀로 경험해야 하는 곳으로 여겨진다. 내세를 여행하는 단테에게 보는 것은 듣는 것의 결과로 나타나는 경우가 많다.

청각이 시각을 선도하는 또 다른 예로, 성모마리아에게 부름받은 루치아가 베아트리체에게 단테를 도와주라고 요청하는 장면이 있다.

그의 울음의 애처로움이 들리지 않나요?
바다도 자랑하지 못하는 저 드센 강물에서
그를 덮치는 죽음이 보이지 않나요?
「지옥」 2곡 106-108

루치아는 베아트리체를 설득하면서 단테의 존재를 각인시키고자 하는데, 이때 단테의 울음소리가 들리지 않느냐고 말한다. 베아트리체의 청각적 경험에 먼저 호소하는 것이다. 이어 죽음의 강물이 집어삼키는 단테의 모습을 떠올리라는 시각적 요청은 앞선 청각적 호소에 대한 보충으로 등장할 뿐이다. 울음소리가 들려 그곳을 바라보니 그때 비로소 위험에 처한 모습이 눈에 들어오는 꼴이다. 루치아는 강물에 빠져 허우적거리는 모습보다 단테의 애처로운 울음소리가 베아트리체의 가슴을 훨씬 더 강하게, 우선적으로 자극한다는 사실을 분명히 알고 있었다. 루치아의 전략은 성공한다.

시각을 선도하는 청각

이런 식으로 시각이 청각의 뒤를 이으면서 청각으로 알게 된 것을 더욱 강조하거나 확인하는 장면은 지옥에서 여러 번 등장한다. 지옥의 거의 모든 고리, 상황, 인물에서 첫인상은 들음으로써 형성된다. 예를 들면 디스시에서 나오는 고통의 비명을 들은 순례자는 그 소리가 어디서 오는지 어둠 속에서 눈을 밝혀 찾는다.

어떤 울부짖는 소리가 귀를 때렸을 때,
나는 눈을 고정시킨 채 앞을 노려보았다.
「지옥」 8곡 65-66

단테가 눈으로 보기 전에 귀로 듣는 망령들은 일일이 세기도 힘들다. 림보에 있는 영혼들, 애욕의 죄인들, 이교도들, 이웃에 폭력을 가한 자들, 자살자들, 낭비가들, 아첨꾼들, 도둑들, 위조범들, 배신자들 그리고 호메로스, 필리포 아르젠티, 파리나타, 귀도 다 몬테펠트로 등과의 만남은 귀로 들으면서 시작된다. 예를 들어 파리나타가 순례자 앞에 등장할 때도 소리가 시각에 앞서고 지옥의 밑바닥에서 거인들을 만나는 장면에서도 소리가 시각에 앞선다.

"오, 토스카나 사람이여!

…

그대의 말씨는 그대가 태어났던
그 고귀한 땅, 아마도 나로서 너무나
곤란했던 그곳을 확실히 보여주는구려."

석관들 중 하나에서 돌연히
이런 소리가 나왔는데, 그로 인해 나는 떨면서
나의 길잡이에게 조금 더 다가섰다.
「지옥」 10곡 22, 25-30

내 시야는 거의 앞으로 나아가지 못했다.

하지만 웬 높은 뿔나팔소리가 들렸는데,

어떤 천둥이라도 약하게 만들 정도였다.
나의 눈은 그 길을 되짚어 따라가며
한 곳을 집중하여 바라보았다.

…

머리를 그리로 돌린 지 얼마 못 되어
높은 탑들이 수도 없이 보이는 듯했다.
「지옥」 31곡 11-15, 19-20

지옥에서 단테가 얘기를 나누는 인물 가운데 이렇게 소리로 처음 만나는 예는 적어도 열여섯 차례에 이른다.*

지옥의 맨 밑바닥에 도착한 단테는 또다시 청각에 온 신경을 집중해야 한다. 이제 그곳을 빠져나와 연옥으로 옮겨가야 하기 때문이다.

거기 아래에는 무덤이 미치는 만큼
베엘제불에서 멀리 떨어진 곳이 있는데,

* 소리의 묘사는 「지옥」의 곳곳에서 발견되는데,
특히 「지옥」의 다음 구절들은
청각 이미지를 활용한 비유들이다.
5곡 25-30, 46-49, 6곡 28-33, 9곡 64-72, 13곡 40-43, 111-117,
16곡 1-3, 94-105, 19곡 49-51, 22곡 1-12, 23곡 37-39,
27곡 7-15, 29곡 46-51, 31곡 31-36, 32곡 25-30, 31-36.

그곳은 보이지는 않고 들려오는

개울소리로 알 수 있으니, 물은
여기서 그것이 휘감는 흐름으로 바위에 뚫은
구멍으로 완만히 흘러내린다.

길잡이와 나는 밝은 세상으로
돌아가는 그 감춰진 길로 들어섰다.
「지옥」 34곡 127-134

지옥의 맨 밑바닥은 철저하게 어둠이 지배하는 곳이다. 그곳에서 개울의 물줄기가 흐르는 구멍은 해가 비치는 밝은 세상으로 돌아가는 "감춰진 길"「지옥」 34곡 134이다. 그런데 어둡기 때문에 아무것도 보이지 않는 상태라 그 길을 찾기 위해서 오로지 소리에 의지해야 한다. 우리는 일행이 구덩이 속에서 떨어지는 물소리에 귀 기울이면서 그 소리를 따라가다가 구멍의 입구를 찾아 지옥을 빠져나오는 상황을 그려볼 수 있다.

지옥처럼 연옥이나 천국에서도 청각의 경험은 순례자를 선도한다. 연옥에 도착하자마자 그가 경험한 것은 천사들이 부르는 노래였다. 연옥에 들어서는 그의 귀에 연옥의 영혼들이 노래하는 「살베 레지나」가 들려온다.

"살베 레지나!" 풀과 꽃 속에 앉아
노래를 부르는 영혼들이 보였는데,
계곡 밖에서는 보이지 않는 듯했다.
「연옥」 7곡 79-81

'살베 레지나'는 '안녕하세요. 여왕이시여'라는 뜻으로, 저녁기도의 끝에서 성모마리아를 위해 부르는 송가 가운데 하나다. 보이지 않는 익명의 영혼들이 노래를 부르는 이 광경은 구원을 기도하는 그리스도교 공동체를 연상시킨다. 이 영혼들 역시 천국으로 오르기를 간절히 기도하고 있다.

둘째 둘레에서는 이에 대한 화답으로 어떤 한 영혼의 입에서 "지극히 달콤한 멜로디"「연옥」 8곡 14에 실려 흘러나오는 「테 루치스 안테」를 듣는다.

"테 루치스 안테." 아주 경건하고
지극히 달콤한 멜로디가 그의 입에서 흘러나왔다.
나는 정신이 혼미해지는 듯했다.

뒤이어 다른 영혼들도 천국의 바퀴들에
눈을 두고 그를 따라 노래 전체를
부드럽고 경건하게 불렀다.

「연옥」 8곡 13-18

단테는 이렇게 외친다.

우리가 그 계단을 향해 몸을 돌리는 동안
"마음이 가난한 자는 복되도다!"라는 노래가
형용할 수 없을 만큼 감미롭게 흘러나왔다.

아, 그 통로는 지옥과 얼마나 달랐던가!
지옥은 끔찍한 통곡과 함께 들어갔지만,

이곳에서는 노래와 함께 들어간다."

「연옥」 12곡 109-114

단테는 지옥의 "통곡"과 연옥의 "노래"를 확연하게 대비시킨다. 연옥의 "노래"는 "형용할 수 없을 만큼 감미로운" 반면, 지옥의 "통곡"은 "끔찍"하기 그지없다. 통곡이 끔찍한 이유는 귀에 거슬리는 불협화음이기 때문인 동시에 뜻을 도저히 실어 나를 수 없는 혐오스러운 소리이기 때문이다.

한편 천국에서는 완벽한 다성악의 조화로운 음악이 울려 퍼진다. 단테는 이를 듣고 천국의 본질을 느끼고 깨닫는다. 예를 들어 단테는 목성의 하늘에 올랐던 기억을 이렇게 떠올린다.

훌륭한 류트 연주자가 훌륭한 가수에 맞춰
줄의 떨림을 만들어 노래가
더 큰 기쁨을 얻는 것처럼

그것이 말하는 동안 두 축복받은 빛이
마치 눈의 깜빡임이 일치하듯
저들의 불꽃을 말과 함께 움직이는 것을

본 기억이 지금도 생생하다.

「천국」 20곡 142-148

단테 앞에 나타난 독수리"그것"의 말은 그 자체로 천국의 음악이다. 구원받은 두 영혼의 빛은 독수리의 말과 완전하게 동조하며 깜빡거린다. 동시에 깜빡이는 두 눈으로 비유되는 두 빛의 조화로운 움직임은 류트소리와 가수의 목소리가 만들어내는 완벽한 협주와 비교된다.

새롭게 듣기

우리의 귀나 눈은 오랫동안 자극받을수록 덜 민감하게 반응한다. 같은 소리를 계속 들으면 그 소리가 더는 들리지 않고, 어떤 상이 망막에 오래 고정되면 얼마 지나지 않아 그 상에 무관심해진다. 그래서 새로운 소리나 상이 주어지면 즉각 반응하게 된다. 말하자면 소리나 상이 계속 새롭게 주어져야 대상을 인지한다. 이것은 우리 육체의 특성이다.

만일 단테가 내세를 둘러보면서 하나의 소리만 듣고 하나의 상만 보았다면 거기에 익숙해져서 더는 내세의 소리를 듣지 못하고 내세의 상을 보지 못했을 것이다. 단테는 순례하는 내내 기억에 대한 강렬한 의지를 내보인다. 이 모든 것을 기억하게 해달라고 뮤즈에게 호소한다. 기억하기 위해 그가 해야 할 일은 모든 소리와 상을 '새롭게' 인지하는 것이다. 설령 내세의 소리와 상이 계속 똑같이 그에게 도달하더라도, 적어도 그의 귀와 눈은 그것들을 언제나 새롭게 인지해야 한다.

"마음속에서 나에게 속삭이는 사랑"
그때 그가 그리도 부드럽게 시작했는데,
그 부드러움은 아직 내 안에서 울린다.
「연옥」 2곡 112-114

연옥에 막 도착한 단테는 카셀라를 만난다. 카셀라는 단테가 친하게 지냈던 가수였다. 단테는 예전에 자신을 위해 불러주던 노래를 다시 들려달라고 청한다. 지옥의 힘든 여정을 막 마친 단테의 귀에 그의 노래는 너무나도 감미롭고 포근했다. 그는 연옥과 천국의 험난한 순례를 마치고 현세에 돌아온 지금까지도 그 노래가 내면에 오롯이 남아 부드럽게 울리고 있다고 고백한다. 카셀라의 노래는 연옥과 천국을 돌아보는 동안 단테의 가슴속에서 훼손되지 않고 남아 있다가 현세에 복귀할 때도 그와 동행했다. 카셀라의 노래를 듣는 것은 단테에게 늘 새로운 경험이었다.

단테는 새롭게 듣는다. 단테의 내세는 단테에게 끊임없이 새로운 소리를 들려준다. 내세에서의 경험은 단테에게 습관이 되지 않는다(순례가 지속된 일주일은 습관이 되기에 너무 짧은 시간이다). 습관이 되지 않는 한 단테의 기억에 오롯이 남는다. 단테는 매 순간 들려오는 소리에 신경을 집중한다. 지옥의 소음은 들려올 때마다 단테를 불안하고 우울하게 하고, 천국의 노래는 들려올 때마다 단테를 환희에 젖게 한다. 그러는 가운데 단테는 그 소리들이 서로 어떤 관계를 형성하는지 실시간으로 분석하고 의미를 찾아낸다. 단테는 소리로 내세의 깊숙한 곳, 숨겨진 곳까지 들여다본다.

4 구술

정형구

소리를 듣는 것은 문자 없이 소통하던, 잃어버린 원초세계를 재방문하는 것과 같다. 단테는 호메로스의 시세계를 그리워하는 방식으로 『신곡』을 썼다. 호메로스의 시에는 구술성이 넘쳐난다. 단테의 『신곡』에도 구술성이 풍부하게 담겨 있다. 단테가 구와 단어를 배치할 때는 의미보다 서로 상호작용하며 운율과 리듬효과를 극대화할 위치를 고민한 흔적이 뚜렷하다. 단테는 『신곡』을 낭송용으로 쓰면서, 단어 하나하나의 의미만큼이나 단어들이 만드는 리듬도 세심하게 고려했다.

정형구 사용이 한 예다. 단테는 뮤즈를 불러내거나 독자를 호명하거나 길잡이를 부를 때 지옥과 연옥 각각에서 다음과 같은 정형구를 사용한다.

"아, 사랑하는 나의 길잡이여! 일곱 번도 더
나를 안전하게 이끄셨고 내가 마주쳤던
심각한 위험에서 구해주셨으니,

「지옥」 8곡 97-99

여기서 죽음의 시를 다시 일으키소서,

오, 성스러운 뮤즈들이여, 나는 그대들 것이니,

「연옥」 1곡 7-8

길잡이나 뮤즈를 부를 때 "사랑하는"이나 "성스러운" 같은 정형화된 구절을 사용하는 것은 입으로 소리 내어 어떤 내용을 말할 때 익숙한 행위다. 입에 익숙해진 정형구를 사용하면 구술을 쉽게 시작할 수 있고 이어지는 내용도 자연스럽게 떠올릴 수 있다. 듣는 쪽에서도 귀에 익은 문구가 들리면 친숙하게 느낄 수 있다.

구술과 기억

구술성에서 기억은 대단히 중요한 역할을 수행한다. 기억해야 하는 책이 서가에 꽂혀 있을 경우 우리는 그저 책을 빼서 펼치면 되므로 기억의 부담에서 자유롭다. 하지만 책이 대량으로 유통되지 않던, 그래서 서가에 책이 많이 꽂힌 풍경이 흔치 않던 시절에는 책의 내용을 개인마다 따로 저장해야 했는데, 그것이 바로 기억이다. 인쇄는 기억을 손상시킨다. 정확히 말해 기억이 손상되는 것은 인쇄와 함께 시각의 경험이 청각의 경험에서 완전히 분리되기 때문이다. 하지만 육필원고나 필사본을 손에 들 때, 필사를 하며 소리 내어 읽을 때, 또 누군가 소리 내어 읽는 것을 들을 때, 우리는 청각뿐 아니라 촉각과 후각도 동원한다. 매우 자연스럽게 글에 대한 기억이 강화된다.

훈련된 기억은 인쇄문화가 도래하기 이전에 대단히 중요한 역할을 했다.* 중세인의 뛰어난 기억력은 노력으로 얻은 결과이기도 했고 사회적 환경의 산물이기도 했다. 무엇보다 그들 앞에는 인쇄된

* Yates, Frances, *The Art of Memory*, London: Pimlico, 1992, p. 11.

책 대신 낭송가가 있었다. 문자로 쓰인 책을 읽는 경우에도 그 책이 낭송된다는 느낌에 완전히 사로잡혀 있었다. 눈으로 읽는 대신 귀로 들은 것이다. 소리란 나오는 즉시 사라지기 마련이지만 어떤 대목은 자신의 내면에서 되풀이되기도 한다. 그렇게 내면에 소리의 잔여물이 쌓여갈수록 중세인의 기억력은 자연스럽게 향상되어 갔다.

중세에 책은 문학보다 수사학에 가까웠다. 하지만 수사rhetoric는 그 자체로 미적 형식을 의미하지 않는다. 보르헤스는 아우구스티누스의 현란한 수사 때문에 독자들이 그의 『고백록』에서 멀어진다고 말한다. 그 현란한 수사가 오히려 말하는 작가와 듣는 독자 사이에 끼어들어 훼방을 놓기 때문이다. 수사는 다리이며 길이지만, 벽이며 장애가 되는 때도 많다.*

기억의 창고

보르헤스는 자신의 머리가 서로 다른 판본으로 열두 번쯤 읽은 『신곡』의 말로 가득하다고 고백한 적이 있다. 보르헤스는 날짜, 장소, 시간의 순서를 망각한 채 그 말이 자신에게 달라붙어 있거나 자신이 그 말에 달라붙어 있다고 말한다.** 말년에 눈이 멀어 세상을 볼 수 없게 된 보르헤스는 말로 가득 찬 세상을 '들으며' 여생을 보냈을 것이다. 비록 눈이 멀지도 여생이 얼마 남지 않은 노년도 아니었지만 『새로운 삶』을 쓰던 청년 시절의 단테가 기억 속에서 울려

* *Seven Nights*, p. 13. 이런 경우의 작가들로 보르헤스는 루키우스 세네카(Lucius Seneca, 기원전 4-기원전 65), 프란시스코 케베도(Francisco Quevedo, 1580-1645), 존 밀턴(John Milton, 1608-74), 레오폴도 루고네스(Leopoldo Lugones, 1874-1938)를 예로 든다.

** 호르헤 루이스 보르헤스, 서창렬 옮김, 『보르헤스의 말』, 마음산책, 2015.

퍼지는 말을 부여잡는 모습이 떠오른다.

단테는 책을 기억의 창고로 생각했다. 그는 베아트리체에게 바친 『새로운 삶』을 이렇게 시작한다.

> 기억 저편에서는 거의 읽을 수 없는 내 기억의 책에, "여기 새로운 삶이 시작한다"라는 제목이 붙어 있다. 그 제목 아래 내 말들이 쓰여 있다. 이 자그마한 책에 그 기억을 옮겨 적고자 하는 것이 나의 의도다. 모두는 아니라 해도, 적어도 그 본질만큼은.
>
> 『새로운 삶』 제1권 제1장

"기억의 책"은 중세문화에서 매우 친숙한 은유다. 단테는 자신의 책 『새로운 삶』을 "기억의 책"이라 부르면서 그 책을 필사와 주해의 차원으로 다룬다. 그 책에 쓰인 말은 기억 자체를 가리킨다. 말하자면 단테는 "기억의 책"에 기록된 말을 "이 자그마한 책에" 옮겨 적으려 했다. 기억을 옮겨 적는 것은 필사가의 경험이다. 자신의 "기억을 옮겨 적고자 하는 것이" 바로 『새로운 삶』을 쓰는 단테의 의도다. 그것은 곧 단테 스스로 자신의 책을 베끼는 필사가가 되는 일이다.

자신의 책을 베끼는 필사가 단테의 모습은 자신의 작가적 정체성을 '안에서 불러주는 대로 받아쓰는 사람'으로 정의한 것과 완벽하게 일치한다. 그는 자신의 글을 베끼는 동안 그 글이 자신에게 말하는 것을 듣는다. 글이 자신에게 말하는 것은 사실상 자신이 글을 구술한다는 의미다. 마찬가지로 단테는 구술해야 하는 책이라는 의미에서 『새로운 삶』을 "기억의 책"이라고 불렀다. 그것은 또한 음독이 기억에 적극적으로 개입하는 정황을 반영한다. 발음할 때 입을 움직이는 근육과 그 음이 귀에 닿으면서 흔들리는 고막의 떨림은 기억을 먼저 육체적인 사건으로 만든다.

1916년판 『새로운 삶』의 삽화.
에벌린 폴(Evelyn Paul, 1883-1963)이
로세티가 번역한 판본에 그린 것이다.

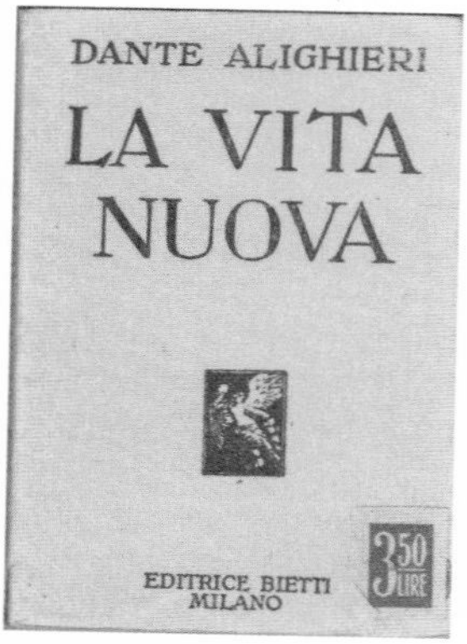

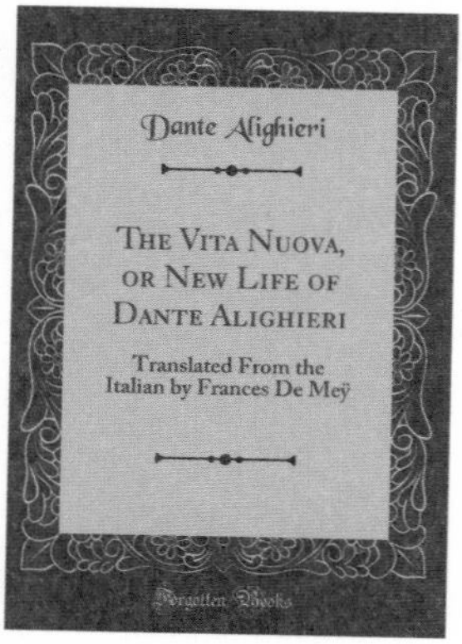

『세로운 삶』의 여러 판본.
단테는 『새로운 삶』을 "기억의 책"이라 부르면서
이 책을 필사와 주해의 차원으로 다룬다.
자신의 "기억을 옮겨 적고자 하는 것이"
바로 『새로운 삶』을 쓰는 단테의 의도다.
그것은 곧 단테 스스로 자신의 책을 베끼는
필사가가 되는 일이다.

음독과 기억

책이 내면의 기록으로 옮겨가는 것은 소리 내어 읽기와 함께 일어난다. 소리 내어 글을 읽는 것은 그 글자를, 또 글자가 실어나르는 뜻을, 내면뿐 아니라 육체에 새기는 과정이다. 마찬가지로 어떤 단어를 발음하는 것은 그 단어를 먹는 것과 같다. 입속으로 들어가 위를 채우고 장에서 흡수되어 몸에 영양분을 공급하는 것이다. 소화하는 육체작용은 생각을 음미하는 명상 과정과 닮았다. 명상은 영혼에 영양을 공급하는 일이다. 영양을 보충하는 것은 문자를 발음하는 것과 같다. 음독으로 형성된 기억의 세계는 곧 명상의 세계이기도 하다.

소리 내어 읽으면 운율과 리듬으로 기억이 강화된다. 같은 언어라도 보는 언어와 듣고 체험하는 언어는 다르다. 사람들이 아직 문자에 익숙하지 않은 환경에서 단테는 자신의 글이 소리가 되어 울려 퍼지기를 원했고, 여기에는 무엇보다 기억이 중요했다. 『신곡』에서 순례자 단테는 기억에 전적으로 의지하며 길을 걸었다. 작가 단테도 기억을 뮤즈와 거의 동급으로 취급했다. 마찬가지로 단테는 『새로운 삶』을 쓸 때 기억의 책을 옮겨 적는다고 말한다. 그리고 기억이란 언제나 불완전하기 때문에 가능한 만큼만 받아쓰겠다고 말한다. 따라서 『새로운 삶』은 베아트리체에 대한 단테의 기억이 오롯이 내려앉은 곳이다. 그 풍경의 아스라한 기억 속에서 단테는 베아트리체를 향한 사랑을 받아쓴다. 아무에게도 들키지 않고서.

기억의 순례자, 문자의 순례자

내세를 여행하는 단테가 기억의 순례자라면, 현세에서 글을 쓰는 작가 단테는 문자의 순례자다. 작가가 자신의 경험을 글로 쓸 때, 기억과 문자는 뚜렷하게 구분되지 않고, 딱히 구분해야 할 필요도 없다. 다만 기억이 내면에 흐르는 불분명하고 유동적인 것이라면 문자는 외부에 정착되는 확고하고 지속적인 것이라는 차이가 있다. 기억은 사라지면서 존재하는데 문자는 지속되면서 존재한다. 단테가 작가로서 자신의 사라져가는 기억을 온전하게 문자로 지속시키고자 노력한 결과가 『신곡』이라 할 수 있다. 『신곡』은 기억과 문자의 변증법적 과정으로 태어난 산물이다.

『신곡』에는 순례자 단테가 자신이 보고 들은 광경을 기억에 남기려고 애쓰는 장면이 많이 나온다. 지상에 돌아와 낱낱이 전하고자 하는 사명감 때문이다. 「지옥」「연옥」「천국」에서 각각의 예를 들면 아래와 같다.

"네가 들었던, 널 거스르는 것을
너의 정신이 잘 보존하기를!" 그 현자가 명했다.

「지옥」 10곡 127-128

그에 대한 내 기억이 틀리지 않다면,
어떤 무지도 그렇게 격렬하게,
그때 생각 가운데 느꼈던 것만큼,

나로 하여금 앎을 욕망하게 한 적이 없었다.

「연옥」 20곡 145-148

여기서 나의 기억은 나의 재능을 이기노니
그 십자가가 그리스도를 빛나게 하건만
난 그를 묘사할 예를 찾을 수 없기에.

「천국」 14곡 103-105

작가 단테는 글을 쓰면서 순례하며 목격한 것을 반추했다. 파편화된 기억의 흔적들이 순환하고 또는 서로 조응하면서 글의 안정된 질서로 편입된다.

『신곡』에서 기억하는 순례자는 과거에 있지만 글을 쓰는 작가는 현재에서 그 기억을 불러온다. 현재의 작가는 과거의 순례자를 눈으로 떠올리기도 하지만 귀로 듣기도 한다. 순례자가 들었던 지옥의 끔찍한 소리, 연옥과 천국의 감미로운 소리를 다시 들으면서 순례자의 발길을 추적하는 것이다. 작가는 순례자의 발길을 기억으로 따라가면서 순례자가 맞닥뜨린 수많은 인물과 사연, 풍경, 사건에 에워싸인다.

작가 단테는 결코 혼자만의 세계에 빠져들지 않았다. 단테의 펜은 처음부터 순례자의 경험이라는 잉크 속에 담겨 있었다. 그 잉크를 펜에 묻혀 글자를 써내려가는 작가 단테는 늘 순례자의 세계 속에 있었고, 순례하면서 들은 온갖 소리를 그 문자에 담고자 했다. 그것이 단테가 글을 쓰는 방식이었다. 마치 구송하는 호메로스의 내면이 그러했을 것처럼, 단테의 내면에도 자신의 기억이 순환하는 다채로운 세계의 소리가 울려 퍼지고 있었을 것이다. 단테는 자신을 실시간으로 에워싸는 소리 속에서 글을 썼으리라.

단테는 소리를 문자로 옮기고 있었지만 계속해서 소리를 돌아보고 있었다. 단테는 자신의 문자에 구술성을 담고자 했다. 그것은 무엇보다 문자에 의존하지 않던 당시 독자“듣는 자”. 「천국」 17곡 139들과 소통하기 위해서였다. 단테와 거의 동시대를 살았던 프란체스코 다시시Francesco d'Assisi, 1181/1182-1226가 「피조물의 노래」 같은 시를 쓰면서 새로운 방식의 신앙과 언어, 문화를 만들었던 것은 구술성에 친숙한 청중과 새롭게 교류한 덕분이었다. 마찬가지로 단테와 정확히 같은 시대를 살았던 조토의 그림에도 서사를 들려주는 구술성이 깃

조토 디 본도네, 「새들에게 설교하는 프란체스코」(1297-99).
프란체스코 다시시가 새들에게 설교하는 장면이다.
프란체스코가 베바냐로 기도하러 가는 도중에 만난
새 떼에게 설교하자
새들은 기뻐서 지저귀고 날개를 펄럭이며
성인의 망토에 몸을 스쳤다.

들어 있다. 이 셋의 공통점은 청각경험으로 새로운 소통의 관계를 구축했다는 사실이다. 구술은 소통을 더욱 직접적으로 만들고 이해의 폭을 현저하게 넓히는 데 이바지한다. 단테가 소리를 문자로 옮기면서도 소리를 계속 돌아봤다는 것은 문자가 구축하는 안정된 질서와 구술성이 장려하는 새로운 경험의 발산, 그 둘을 함께 도모했다는 의미다.

정착의 욕망, 방랑의 욕망

우리는 문자의 세계에서 살고 있으면서도 문자가 내는 소리를 듣는 일에는 익숙하지 않다. 들으려고 노력할 때도 자꾸 문자의 시각이미지를 떠올리게 된다. 하지만 거꾸로 어떤 문자를 눈으로 읽을 때 청각 이미지를 떠올리기도 한다. 우리는 문자의 형태를 보면서 그것을 구술하는 소리를 듣게 되고, 그 소리를 들으면서 형태를 보게 된다. 들으면서 보려고 하는 것은 정착의 욕망이고, 보면서 들으려 하는 것은 방랑의 욕망이다. 문자는 우리가 정착을 갈구하도록 부추기고 구술은 우리를 자꾸 방랑의 길로 나서게 한다. 시간은 '정착'의 경우 정지하지만, '방랑'의 경우 계속해서 흐른다. 언어적 동물로서 우리는 정착과 방랑의 상반된 욕망을 동시에 품고 추구하는 존재다.

문자는 늘 거기에 있기 때문에 우리가 정착할 수 있고, 언제든 그곳으로 돌아갈 수 있다. 반면 구술은 한번 이루어지면 거기에 담긴 의미가 시간의 흐름과 함께 금방 사라지기 때문에 우리는 방랑의 길로 나선다. 사라진 의미를 찾기 위해 길을 떠나야 한다. 의미는 늘 과거의 것이라서 구술될 때마다 늘 현재의 것으로 다시 떠오른다. 그래서 문자는 과거에 안착되어 질서를 이루고, 구술은 마치 사건처럼 현재에 새롭게 일어난다.

바로 그래서 내세를 돌아다니는 순례자는 내세를 그 자리에서 문자로 기록하기보다는 자신의 기억에 '들려주는' 방식으로 새긴다. 자신에게 구술하는 방식으로 순례자는 내세의 인물과 사건을 계속해서 현재로 불러내고 현재에 남아 있게 한다. 내세의 순례가 끝나고 현세로 돌아온 순례자는 작가로 변신해 그의 기억에 새겨진 말을 문자로 옮기는 필사의 작업을 시작한다. 그렇게 남은 문자가 우리에게 주어진 『신곡』이다. 그러나 『신곡』의 문자가 구술에서 태어난 소리를 담고 있다는 점은 변하지 않는다.

구술되는 언어란 눈에 들어오는 문자를 입으로 소리 내어 읽고 귀로 들으며 손으로 쓰는 과정에서 나오는 언어를 가리킨다. 이는 필연적으로 여러 감각을 동원한다. 소리 내어 읽을 때 우리는 배와 가슴으로 호흡하며 성대를 움직이고 입을 열어 혀를 굴린다. 이렇게 나온 소리를 귀로 듣고 눈으로 확인하며 손가락을 움직여 종이 위에 구체적인 형상을 갖춘 문자를 쓴다. 이때 손끝이나 손가락, 손목으로 쓰는 촉감을 느낄 수 있고, 사각거리는 소리를 들을 수 있으며, 종이와 잉크의 냄새를 맡을 수 있다. 연필을 깎아 사용하던 어린 시절, 연필심에 침을 발라가며 열심히 필기하던 기억이 떠오르기도 할 것이다. 이렇게 볼 때, 구술되는 언어란 곧 필사의 경험에서 나온 언어임을 알 수 있다.

내세를 순례하는 동안 자신에게 들려준 내용을 순례를 마치고 돌아온 현세에서 문자로 받아쓰는 단테는 필사가와 같다. 앞서 살핀 대로, 필사가는 작가 단테의 정체성이다. 단테는 실제 손으로 썼을 뿐더러, 누군가 불러주고 받아쓰는 것을 스스로의 창작원리로 삼았다. 그 누군가는 바로 앞에 있는 '너'가 될 수도 있고, 옆에 있는 '그'가 될 수도 있으며, 내 안에 있는 '나'가 될 수도 있다. 불러준다는 것은 타자를 전제하며, 받아쓴다는 것은 주체를 전제하는 행위다.

카라바조(Caravaggio, 1571?-1610), 「성 마태와 천사」(1602).
마태는 천사가 불러주는 대로 받아쓰면서
하느님의 손이 되었다.
단테의 경우 불러주고 받아쓰는 사람은 바로 단테 자신이다.

단테의 경우, 불러주고 받아쓰는 사람은 단테 자신이다. 필사가로서 단테는 스스로를 타자이자 주체로 삼았다. 바로 그것이 단테가 내세의 상상을 수행하고 그 내용을 시적 언어로 표현하는 방식이었다.

5 필사가 단테

필사의 경험이 주는 것

필사가 단테를 상상하기 위해서는 시각적 경험을 넘어 오감을 최대한 활용해 단테의 글을 읽어야 한다. 우리는 단테의 글을 구술할 수도 필사할 수도 있다. 그것은 단테가 글을 쓰던 바로 그 과정을 고스란히 반복하는 일이다. 이때 우리가 알 수 있는 것은 우선 필사라는 과정이 속도가 대단히 느려서 그 흐름이 몇 번이고 끊어질 수밖에 없다는 점이다. 가지런히 인쇄된 문자를 눈으로 훑어갈 때는 일관된 경험을 유지하고 생각을 견지할 수 있지만 필사는 너무나 느슨하고 비연속적이라 다른 경험이 끼어들거나 덧씌워지기도 하고 생각이 뒤죽박죽되기도 한다.

이런 현상은 '나'의 세계가 배타적으로 존재하지 않고 타자의 자리를 허용하기 때문에 일어난다. 내가 나에게 불러주고 받아쓰는 과정에서도 나를 타자로 전환하는 일이 일어나며, 타자에게 나를 허용하는 일 또한 일어난다. 그렇게 나와 주변의 존재를 타자로 만드는 것은 곧 나의 주관성을 타자의 자리로까지 확장하려는 욕망이 작동한다는 뜻이다(이를 앞에서 방랑의 욕망이라 불렀다).

시각경험이 중심이 되는 인쇄본에 비해 필사본은 여러 감각이 균형을 이루는 가운데 제작되고 소비된다. 주관적 체험과 함께 거기에 바탕을 둔 집단적 공감을 낳는 것이다. 단테는 특히 청각의 경험에 따른 주관적 체험과 집단적 공감을 바탕으로, 정화를 공동의 목표로 하는 연옥, 영원한 축복을 함께 누리는 천국이라는 공동체를 구상했다. 청각은 시각에 비해 훨씬 더 섬세하다. 단테가 천국의 구원을 시각을 포기하고 청각을 살리는 것으로 묘사한 이유다.

음악적 조화로 표현되는 천국

천국에 오른 단테는 즉각 그곳이 인간의 차원을 초월한 세계이며 말로 표현할 수 없는 세계임을 알아차린다. 그리고 천국을 여행하는 내내 그 초월의 세계를 인간의 언어로 재현하기 위해 무던히 노력한다. 그 과정에서 단테는 시각적 인지력을 상실해가는 자신을 발견하는데, 그런 그를 에워싼 천국의 천사들은 다성악으로 울려 퍼지는 노래를 불러준다. 감각의 통로가 시각에서 청각으로 바뀌는 경험에서 단테는 비로소 천국의 구원이 곧 음악적 조화로 표상됨을 깨닫는다. 이후 그의 시각은 점점 더 제 기능을 잃어버리고 마침내 천국의 꼭대기에서 시각의 완전한 상실과 함께 하느님의 빛과 하나가 된다.

나의 시야는 더 맑아져갔고,
스스로 진실한 저 드높은 빛의 줄기 속으로
더욱더 깊이 파고들고 있었으니.

「천국」 33곡 52-54

오, 나의 시각이 소진될 때까지
영원한 빛을 응시하도록 허락하신
풍요로운 은총이시여!

「천국」 33곡 82-84

순례자의 눈은 저 드높은 빛줄기 속으로 파고들면서 육체의 시각을 소진하게 되지만, 정신의 시각은 점점 강해지면서 영원한 빛을 응시하는 데까지 이른다. 이렇게 하느님의 빛과 하나가 된 순례자에게는 여전히 천국의 노래가 완벽한 조화를 이루며 아련하게 들려오고 있었을 것이다. 구원을 완성하는 순간 순례자가 맛본 것은 시각의 경험이 아니라 청각의 경험이었다. 그의 육체의 시각은 정신의 시각으로 대체되는 반면, 육체의 청각은 정신의 시각과 다시 짝을 이루면서 하느님을 받아들인다. 바로 그 접신의 순간은 일주일 전 어두운 숲에서 언덕 위에 빛나는 별을 올려다보며 구원의 욕망을 느꼈던 결핍의 순간과 포개어지고, 결국 두 순간은 서로 완전하게 봉합되어 이어진다. 구원의 시작에 자리했던 시각의 차원은 구원의 완성에서 청각의 차원으로 연결된다. 그 욕망은 순간적이며 지속되기 힘든데, 왜냐하면 그 욕망과 대립하는, 그것을 끌어내리는 온갖 다른 힘에 둘러싸여 있기 때문이다. 하지만 바로 그렇기 때문에 단테는 그 순간적 욕망을 부여잡으려 노력하며, 그 노력의 전체 과정이 곧 그의 순례다. 따라서 순례 과정은 그 자신을 계속해서 놓아주는 자유의 추구이며, 더 나아가 자신을 휘발시키는 끝없는 해탈의 추구인 것이다.

문자의 획일성에 저항하는 언어

그런데 문자의 세계에서 인간의 감각은 비율을 잃고 시각으로 편중된다. 문자는 비시각적인 기억의 편린과 감각을 하나의 시각적 구획 안에 넣고 폐쇄시킨다. 여러 감각을 단순하게 하나의 시각적 기호로 환원시키는 것이다. 그런데도 작가 단테는 시각과 청각이 어우러지는 접신의 과정을 문자에 담아내고자 했다. 문자로 된 책의 유통은 '많은 사람'이 실제 사용하는 새로운 언어로 지식과 문화를 확산하고 공유하기 위해 반드시 필요했다. 하지만 동시에 문자가 강요하는 시각적 획일성에 저항해야 했다. 이러한 고민이 천국에서 '말로 할 수 없음'의 경험으로 나타난 것이다. 그의 해결책은 문자가 소리를 내도록 하는 것이었다. 그가 만든 소리 내는 문자는 대상을 순차적으로 서술하거나 감각이 시각에 지나치게 치우치는 대신 공감각이 균형을 이루는 방식으로 재현한다.

단테는 천국의 빛이 사실은 색과 어우러져 있고 소리로 울려 퍼진다는 사실을 알아차렸는데, 그의 감각이 균형을 이루고 있기 때문에 가능한 일이었다.

> "성부와 성자와 성령께 영광을!"
> 온 천국이 그렇게 시작했으니,
> 달콤한 노래가 나를 취하게 했다.
>
> 내가 보는 것은 우주의 웃음인 것만
> 같았는데, 나의 명정[酩酊]은
> 듣고 보는 것을 통해서 들어오고 있었다.
>
> 「천국」 27곡 1-6

"온 천국"이란 천국의 모든 영혼, "승리의 그리스도를 맞는 무리" 「천국」 23곡 19-20를 가리킨다. 이들은 네 명의 주요 영혼이 등장하기 전까지 뒤편에 물러서 있다가 일제히 소리 높여 노래를 부른다. 순례자는 그 노래에 감각이 마비되고 의식을 잃는 지경에 이른다. 화성의 하늘에 들어설 때에도 같은 경험을 했다[「천국」 14곡 118-123]. 시인의 명정은 천국의 노래를 듣고 천국의 빛을 보는 공감각적 경험에서 비롯된다. 단테는 그러한 균형 잡힌 감각을 독자들도 경험하기를 기대한다.

또한 연옥에서 세 번이나 꾸는 꿈「연옥」 9곡, 15곡, 19곡이 지닌 공감각적 성격도 주목할 만하다. 세이렌에 대한 꿈을 보자.

말 더듬는 여자가 꿈에 내게 왔는데,
사팔뜨기에 다리가 굽었고
손은 뒤틀리고 안색이 창백했다.

나는 그녀를 응시했다. 태양이
밤이 차갑게 한 사지를 위안하듯,
나의 시선은 그녀의 혀를 풀어주었는데,

이어 삽시간에 몸을 곧추세워주었고,
그 파리한 얼굴에, 사랑을
바라는 듯이, 화색이 돌게 했다.

일단 말이 그렇게 풀리고 나자 그녀는
노래를 부르기 시작했는데, 내 주의를
그녀에게서 거의 거둘 수 없을 정도였다.

…

그는 다른 여자를 붙잡아 옷을 찢고
앞자락을 젖혀 내게 배를 보여주었는데,
거기서 나오는 악취와 함께 잠에서 깼다.

「연옥」 19곡 7-18, 31-33

세이렌은 사람을 유혹해 연옥의 다섯 째, 여섯 째 그리고 일곱 째 둘레에서 영혼들이 씻어야 하는 죄[탐욕, 대식, 음란]를 짓게 하는 요녀다. 그런 죄들은 실제로는 추하지만 일단 사로잡히면 마냥 아름답게 보인다. 세이렌도 그런 속성을 지녔다.

위에서 묘사한 것처럼 단테가 꿈속에 나타난 세이렌을 응시하자, 세이렌의 뒤틀린 몸이 풀리고 마비된 혀가 움직인다. 단테가 세이렌의 입을 여는 과정은 대상을 응시하고 그 응시된 대상이 불러주는 것을 듣는 청신체 시인의 방식을 잘 보여준다. 단테가 세이렌의 노래에 푹 빠지자 베아트리체가 나타나 단테를 깨우라고 베르길리우스를 다그친다. 그러자 베르길리우스는 즉각 세이렌의 옷을 잡아 찢고 앞자락을 젖혀 배를 보여주는데, 단테는 거기서 풍기는 악취에 잠이 깨고 만다. 단테는 보고 듣고 맡는 공감각적 경험으로 세이렌과 만나고 헤어진다.

단테가 내세의 풍경을 인지하는 방식은 공감각적이다. 시각, 청각, 후각, 미각, 촉각으로 감지한다. 지옥에서는 타오르는 불에서 뜨거움을 느끼고, 고통받는 영혼들의 절규가 귀청을 찢는다. 피냄새가 진동하고 안개가 자욱하게 깔려 가슴을 답답하게 한다. 연옥을 오를 때는 돌부리에 채여 넘어진다. 지상낙원에서는 강물에 몸을 담그고(몸에 닿는 물의 촉감을 떠올려보라. 레테강의 망각은 그 촉감에서 비롯되는 것이 아닐까) 사방에 널린 꽃에서 피어오르는 향기를 맡는다. 천국에서는 찬송가의 노랫소리가 감미롭게 울려 퍼지고 휘황찬란한 빛의 향연이 펼쳐진다. 그렇기에 내세의 풍경은 기계적으로 재현되는 것이 아니라 단테의 내면과 조응하면서 그 내면이 풍경을 창조적으로 재구성하는 원천이 된다.

단테가 꿈에서 본 세이렌.
세이렌은 노래를 불러 지중해를 항해하는 선원들을
홀렸다. 이처럼 세이렌은 유혹의 상징이다.
『신곡』에서 단테는 청각뿐 아니라
시각과 후각으로도 세이렌을 만난다.

귀스타브 도레, 「레테강에 잠기기」(1868).

그 사랑스러운 여인은 팔을 벌려
머리를 잡고서 날 잠기게 했으니,
물을 마시지 않을 수 없었다.

그리고 나를 끌어내 젖어 있는 채로
사랑스러운 여자 넷이 춤추는 곳으로 이끌었는데,
각자의 팔이 나를 감싸 안았노라.
「연옥」 31곡 100-105

발화와 청취의 동시적 관계

누군가 불러주고 누군가 받아쓰는 필사문화에서는 말하기와 듣기가 동시에 일어난다. 그 과정에서 말하는 사람과 듣는 사람의 관계는 대단히 긴밀해지고, 서로의 경험을 물질의 차원에서 공유한다. 물론 말하는 사람과 듣는 사람이 한 사람일 수 있다. 필사는 스스로 말하며 듣는 일도 가능하게 한다.

『신곡』을 손에 들고 표지를 넘겨 단테가 잠에 취한 채 "어두운 숲"에 들어서는 장면을 묘사한 지면을 펴보자.

> 우리 살아가는 발길 반 고비에
> 나는 어느 어두운 숲속에 있었네.
> 곧은 길이 사라져버렸기에
>
> 아, 이 숲이 얼마나 거칠고 가혹하며 완강했는지
> 얼마나 말하기 힘든 일인가,
> 생각만 해도 두려움이 새로 솟는구나.
>
> 「지옥」 1곡 1-6

『신곡』을 펴면 제일 처음 눈에 들어오는 그 지면에 가지런히 인쇄된 문자들을 눈으로 들여다보며(읽으며), 우리는 어느새 그 문자 뒤에 숨은 고정된 기의를 찾는 자신을 발견하게 된다. "어두운 숲"이란 무엇을 의미하는지 스스로에게 물으면서, 스스로의 내면에 빠져들면서, 의미를 유추하는 데 몰두하게 된다. 사실 그런 시각적 묵독이 『신곡』을 읽는 주요한 방식임을 부정하기 힘들다.

그런데 그 지면에 쓰인 문자를 누군가에게, 또는 스스로에게 소리 내어 읽어주면서 손으로 옮겨 써보자. 그 어둠의 빽빽한 밀도를 곧바로 떠올리거나 느끼는 자신을 발견하게 될 것이다. 분명 그런 직접적인 연상이나 느낌은 그저 문자를 눈으로만 보고 말 때에는 경험하기 힘들다. 문자의 필사라는 경험은 새로운 것이다. 일단 필사하게 되면 그 뒤에 숨은 기의가 무엇이냐에 대한 성찰은 단지 부수적인 것에 지나지 않게 된다.

사실상 시인이 어두운 숲에서 길을 잃고 헤매던 자신을 떠올리는 장면은 자신의 생애에서 실패로 돌아간 정치실험이나 우리가 흔히 맞닥뜨리는 삶의 위기 또는 상실된 미래를 암시한다. 그러나 우리는 낯선 곳에서 두리번거리는 그의 모습 자체를 단연 먼저 떠올려야 한다. 독자는 시인의 눈에 들어오는 풍경을 시인의 눈으로 바라보고 그러면서 즉각 시인이 그리는 풍경의 일부가 된다. 그것은 우리가 개인의 밀실이라는 추상의 세계에서 벗어날 때 가능해지는 사건이다. 우리는 소리 내며 문자를 읽으면서, 또는 소리 내며 문자를 손으로 쓰면서, 그 문자에 기입된 사건에 개입하는 가능성을 열 수 있다.

6 번역가 단테

문자성에 주목한 단테

단테는 구술과 필사의 효과를 염두에 두었지만, 결국 우리는 문자와 마주하게 된다. 우리는 단테가 의도한 구술과 필사의 효과를 그가 남긴 문자에서 찾아내야 한다. 물론 그는 문자 자체에 대한 관심을 감추지 않았다. 책을 쓰는 작가로서 그에게 문자는 구술과 필사에 깃든 자신의 존재를 오랫동안 남길 수 있는 필수적인 장치였기 때문이다.

단테는 문서위조범을 특정해 말레볼제라 불리는 지옥의 여덟 째 고리에 놓는다「지옥」 19곡. 이는 문자를 왜곡해 원래와는 다른 의미를 내포하게 하는 행위를 다른 죄에 비해 더 무거운 죄로 간주했다는 의미다. 더욱이 '문서위조'라는 죄명은 '사랑'이나 '폭력'에 비해 죄의 내용을 대단히 세분화해 구체적으로 명시한 것이다. 단테 당시에 문서위조는 흔한 일이었다. 문서위조자는 어쩌다 나오는 일탈자가 아니라 당시 문화의 핵심에 위치했고, 사회에 큰 파장을 일으킬 수 있는 일종의 기획전문가였다. 인쇄술이 보급되기 전이었지만 단테는 적어도 뭔가를 쓴다는 행위, 즉 문자성이 사회에 지대한 영향을 미친다는 점에 주목했던 셈이다.

과감하게 이탈리아 속어를 선택한 단테

무엇보다 단테가 문자성으로 나아가고 있었다는 증거는 그가 라틴어 대신 이탈리아 속어를 선택한 데서도 드러난다. 그는 『신곡』과 『새로운 삶』 같은 문학작품이나 『향연』 같은 철학서를 이탈리아 속어로 썼을 뿐 아니라 『속어론』에서는 속어의 문제를 정면으로 논의했다. 그가 생각한 속어의 궁극적인 형태는 말이 아니라 문자였다. 문자로 완성되는 속어. 따라서 그가 내세우는 '뛰어난 속어'vulgare illustre는 구술된 발화와 함께, 또는 발화보다는 오히려 표기된 문자의 형태로 이해해야 한다. 바로 그것이 청신체의 시인 단테가 사랑이 불러주는 대로 "받아쓰면서" 토스카나 속어를 이탈리아 표준어로 만들겠다고 선언한 의미다. 여기서 "받아"가 듣는 행위이고 "쓰면서"가 쓰는 행위임을 생각하면, 단테는 청신체의 시작詩作 방법을 제시하면서 이미 구술에서 문자로 건너가는 과도기 모습을 보여준 셈이다.

문자는 청각보다는 시각에 기반을 두고 내용에 질서를 부여한다. 문자는 단테가 토스카나 속어를 발전시키고 성숙시켜 공식언어로 만드는 데 필수불가결한 단계이자 종착점이었다(물론 그렇게 정착된 속어에는 분명 구술의 힘과 특징이 남아 있다). 그렇게 문자를 활용해 한 언어를 공식언어로 만드는 일은, 단테 이전에 시칠리아와 움브리아(그리고 아마도 또한 다른 지방들)에서 그 지역언어들로 창작된 문학을 다시 더욱 세련된 토스카나 속어로 번역해 필사하면서 진행되었다. 토스카나 속어는 그렇게 문자로 쓰이면서 이탈리아를 대표하는 언어로 자리 잡아가고 있었고, 그 일을 비로소 완수한 인물이 청신체의 시인이자 『신곡』과 『새로운 삶』의 작가 그리고 『향연』과 『속어론』의 저자 단테다.

단테의 『속어론』.
『속어론』은 속어의 문제를 정면으로 다룬다.
단테가 생각한 속어의 궁극적인 형태는
말이 아니라 문자다. 그가 내세우는
'뛰어난 속어'는 구술된 발화와 함께,
또는 발화보다는 오히려
표기된 문자의 형태로 이해해야 한다.

구술에서 문자로 넘어가는 과도기에 자리한 단테

문자로 쓰인 속어는 이후 오랜 세월에 걸쳐 일종의 국어로 자리 잡으면서 구술성을 벗어던지게 되었다. 나는 단테를 구술에서 문자로 넘어가는 과도기에 위치한 작가로 평가하고 싶다. 단테는 하나가 오고 다른 하나가 사라지는 지점에서 그 둘을 함께 취하는 방식으로 자신의 언어를 구축해나갔다. 이러한 관점에서 그가 『신곡』을 쓰기 위해 라틴어가 아니라 이탈리아 속어를 '선택'한 의미를 이해해야 한다. 라틴어는 곧 문법grammatica이었고 고대와 중세의 지식을 담은 보고寶庫인 반면, 속어는 많은 사람을 연결하는 새로운 소통수단이었다. 단테는 라틴어가 담고 있는 내용이 속어라는 새로운 발화 및 표기법과 공존하도록 속어를 선택했다. 그 둘의 영역이 공존하는 과도기에 단테의 '선택'이 자리한다.

단테가 속어를 선택했다고 해서 라틴어를 폐기한 것은 결코 아니다. 심지어 사랑이 불러주는 대로 받아쓸 때, 그 사랑이 불러준 언어, 단테의 내면에서 그에게 속삭인 언어는 속어가 아니라 라틴어였을 것이다. 『새로운 삶』에서 단테는 자신의 심장을 베아트리체에게 먹이는 사랑의 신이 던진 두 마디 말을 라틴어로 표기한다.

> 그녀를 생각하며 감미로운 잠에 빠져들자, 어떤 놀라운 광경이 나타났다. 나는 내 방에서 불처럼 타오르는 색깔의 구름을 보는 듯했는데, 바라보는 사람이면 누구든 두려움을 느낄 만한 어떤 성인의 모습을 그 속에서 가려냈다. 그는 스스로 마냥 행복해 보였기에 놀랍기만 했다. 그는 말하는 가운데 여러가지를 언급했는데, 나는 다 이해하지 못했다. 내가 알아들은 말은 이랬다. "나는 너의 신이다." 그의 팔 안에 어떤 사람이 잠들어 있는 듯했다. 그 사람은 심홍색 옷에 가볍게 싸여 있는 듯, 벌거벗은 채였다. 애써

주의를 기울여 바라보니, 전날 내게 인사해주었던 바로 그 여자라는 것을 알았다. 그 성인은 이글거리며 타오르는 어떤 것을 한 손에 쥐고 있는 듯 보였고, 내게 이런 얘기를 하는 것 같았다. "너의 심장을 보라!" 그리고 한동안 기다린 후에 잠들어 있던 그녀를 깨우는 듯이 보였다. 그러더니 손에 들고 있던 화염에 에워싸인 그 무엇인가를 먹게 했는데, 그녀는 겁에 질려 간신히 먹고 있었다.*

『새로운 삶』에서 '광경'visione은 언제나 단테가 꿈속에서제3장 3, 8, 9; 제4장 1; 제13장 1, 또는 일종의 황홀경 속에서제42장 1 보는 무엇이다. 중세문학과 예술에서 구름은 초자연의 성질을 감추고 있는 장막을 상징한다. 예를 들어 『성경』("이 말씀을 마치시고 저희 보는 데서 올려 가시니 구름이 저를 가려 보이지 않게 하리라." 「사도행전」, 1:9; "그때 사람들이 인자가 구름을 타고 능력과 영광으로 오는 것을 보리라." 「누가복음」, 21:27)이나 중세 공상문학, 종교도상학에서처럼 말이다.

단테에게 나타난 "광경"에서 사랑의 신이 여러 말을 건네지만 단테는 다 이해하지 못한다. 왜냐하면 꿈이란 선명하지 않기 때문이고, 또 대부분 신성神性은 불가사의하게 말하는 주체로 묘사되기 때문이다. 단테는 단지 "나는 너의 신"이라는 말만 알아듣는다. 그리고 그 신의 팔 안에 어떤 벌거벗은 사람이 심홍색 옷에 싸여 있는 모습을 발견한다. 벌거벗었다는 것은 "그 사람"이 육체를 지닌 피조물이긴 하되, 지상에 속하지 않은 존재로서 지닌 순수함을 의미할 수 있다. 단테는 "그 사람"이 바로 전날 인사를 나눈 여자, 즉 베아트리체라는 사실을 알게 된다. 신은 이글거리는 뭔가를 한 손에 쥐고서 "너의 심장을 보라"라고 말하며, 화염에 싸인 그것을 베아트리체에

* Alighieri, Dante, *Vita nova*, Milano: Feltrinelli, 1985, 3곡 3-6.

게 먹인다.

꿈속에서 단테가 알아들은 이 두 마디의 말은 "기억의 책"에 아로 새겨져 있다. 그만큼 단테의 내면을 나타내는 상징이기도 하다. 그런데 그 말들은 이탈리아어로 쓰인 『새로운 삶』에서 라틴어로 각각 'Ego dominus tuus'와 'Vidi cor tuum'으로 표기되어 있다. 사랑의 신이 말하고 단테의 귀에 도달한 그 말은 라틴어였던 것이다. 우리는 단테의 깊숙한 내면이 라틴어로 짜여 있음을 미루어 짐작할 수 있다. 단테의 내면을 울리는 소리는 라틴어의 문자형식이며, 이를 말의 단계에 머물던 이탈리아어로 전환하며 『새로운 삶』을 썼던 것이다. 앞의 라틴어 두 마디는 그런 과정에서 떨어져나온 잔여물이다. 불러주는 대로 받아쓰는 단테. 그는 말로 불러주는 것을 문자로 받아쓰는 필사가이면서 또한 문자가 불러주는 것을 말로 옮기는 번역가이기도 했다.

7 문자

밀실에서 광장으로

“사랑이 내 안에서 불러주는 대로 받아쓰는” 단테의 모습을 다시 떠올려보자. 과연 단테는 스스로에게 잘 불러주고 잘 받아썼을까? 이런 의문을 품는 이유는 실제로 불러주고 받아쓰는 과정에서 철자를 소리 나는 대로 옮겨 적을 때 종종 혼란이 생기기 때문이다. 이탈리아어의 경우, 철자가 발음과 거의 일치하지만, 약간의 예외는 있고, 개인이나 지역마다 발음이 다를 수도 있다. 이런 경우 발음을 정확하게 옮겨 적으려면 발화하는 사람의 의도를 정확히 파악하거나 다시 확인해야 한다. 그러기 위해서는 문화적 맥락이나 상징체계를 서로 공유하고 있어야 하고, 발화자의 내면을 잘 이해하고 있어야 하며, 발화자와 긴밀한 관계를 계속 유지해야 한다.

이렇게 볼 때, 단테는 잘 불러주고 잘 받아쓰기 위해 스스로와 대화하면서 스스로를 소통의 짝으로 삼았을 것이다. 자신과 소통하면서 자신의 내면을 다시 들여다보고, 문화적 맥락을 새롭게 인식하며, 자신의 상징체계를 계속해서 확인했을 것이다. 발음을 잘 알아듣지 못할 경우에는 스스로에게 되물었을 것이고, 발음을 고쳐 성대를 울리고 입술을 움직여 스스로에게 발화해주었을 것이다. 발음은 같지만 철자가 다른 경우에는 자신의 입으로 자신의 귀에 철자를 하나하나 불러주었을 것이다. 그런 과정에서 단테는 내면이 소리를 내게 하고 동시에 그 소리에 귀를 기울였을 것이다(제2부 제3장에서 살폈듯 그 내면의 소리는 추상적 관념의 이미지 같은 것이면서 귀에 직접 들리는 물질적인 것이었음을 기억하자).

그다음 단계는 종이 위에 문자를 쓰는 일이다. 그는 쓰면서 조금 전에 했던 내면의 대화를 반복한다. 필사하는 동안 스스로 구술하면서 그 소리를 듣는다. 내면의 대화와 다른 점은 눈으로 보는 새로운 경험이 추가된다는 점이다. 이제 단테는 종이 위에 구체적인 형상을 지닌 문자로 표시되는 내면의 소리를 시각적으로 바라본다. 하지만 표시된 문자가 내면의 소리를 그야말로 온전하게 옮기고 있다는 확신이나 안정된 느낌은 들지 않았을 듯하다. 내면의 소리가 자신이 느끼고 생각하는 어떤 내용이라면, 표시된 문자는 그 내용을 자신과 다른 사람에게 보여주는 형식이다. 소리가 개인의 밀실에서 도사린다면, 문자는 공공의 광장에서 펼쳐진다. 내면의 소리에서 문자로 건너가는 것은 개인이 밀실에서 광장으로 나와 다른 사람과 대면하는 일이다. 이때 개인은 자신의 밀실이 광장으로 고스란히 옮겨지지 않음을 경험한다.

말에서 문자로

우리는 말과 문자의 경계 위에 선다는 의미를 좀더 깊이 생각할 필요가 있다. 널리 알려진 대로, 플라톤은 문자는 말을 대신하지도 않고 명확하게 나타내지도 않는다고 여겼기에 문자에 반대했다. 플라톤은 문자가 말을 대체한다는 가정 자체를 거부한다. 문자는 말이 남기는 생명이 없는 껍데기나 흔적에 불과하다. 따라서 서로 다른 범주에 있는 문자와 말을 동일시하는 오류는 초상화를 살아 있는 사람으로 오인하는 실수와 같다. 플라톤의 견해에 따르면 불러주는 것, 즉 내면이 전하는 소리에 귀 기울이는 일은 가능하지만, 받아쓰는 것, 즉 그 소리를 문자로 옮겨 적는 일은 불가능하다.

그런 일이 가능하다고 여긴 사람은 아리스토텔레스였다. 아리스토텔레스는, 사물에서 문자로 나아가는 과정을 사물, 인지, 소리, 문자로 구분했다.* 사물을 인지할 때에는 '유사'가 개입하고, 인지를 소리로 표출할 때에는 '재현'이 개입하며, 소리를 문자로 정착할 때에는 '상징'이 개입한다. 사물, 인지, 소리, 문자를 유사와 재현 그리고 상징과 연결하는 아리스토텔레스의 구도는 플라톤에 비해 훨씬 더 섬세하다. 플라톤은 소리와 문자를 확고하게 떼어놓는 반면, 아리스토텔레스는 사물에서 문자로 나아가는 과정과 흐름을 매끄럽게 정리했다.

사물에서 문자로 이르는 아리스토텔레스의 순서

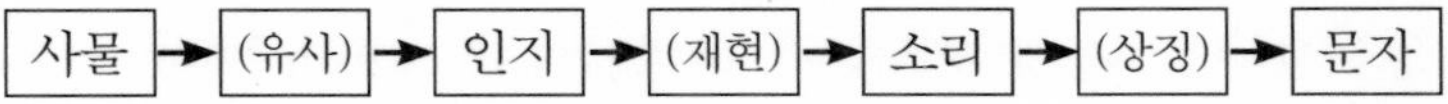

아리스토텔레스의 구도에서 네 구분은 서로 긴밀하게 연결되어 있지만, 인지와 소리에 비해 문자가 사물에서 가장 멀리 떨어져 있다는 점을 눈여겨볼 필요가 있다. 외부의 사물을 내면으로 들이는 인지작용이 있고, 그 인지작용을 표출하는 소리의 발화가 있으며, 그 발화를 표기하는 문자의 정착이 있다. 소리는 인지된 사물의 재현이고 문자는 재현된 소리의 상징이다. 소리가 사물을 재현한다면,

* Aristotle, *De Interpretatione,* 16A. 다음 책에서 다시 참조했다. 로이 해리스, 윤주옥 옮김, 『문자를 다시 생각하다』, 연대출판문화원, 2013, 19쪽. 데리다는 『그라마톨로지』에서 아리스토텔레스의 이 부분을 인용하며 비판한다. 자크 데리다, 김성도 옮김, 『그라마톨로지』, 민음사, 2010.

그 소리를 보이게 하는 문자는 소리를 상징한다.

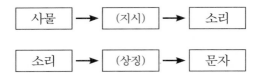

사물 → (지시) → 소리

소리 → (상징) → 문자

말하자면 소리는 사물을 직접 지시하는 반면 문자는 소리를 상징한다. 지시는 지시대상이 거기에 있다는 사실을 전제하지만, 상징은 지시대상을 전제하지 않는다. 소리가 사물을 직접 지시한다는 말은 우리가 그 소리를 들을 때 지시대상에 도달한다는 뜻이다. 반면 문자가 소리를 상징한다는 말은 우리가 그 문자를 볼 때 지시대상에 도달하는 과정에서 일어나는 유희play를 함께 의식한다는 뜻이다. 요약하면 소리는 사물을 직접 지시하는 힘이 크고, 문자는 사물을 지시하는 과정에서 일어나는 유희의 힘에 크게 좌우된다. 그렇기 때문에 소리로 지시의 힘을 강화하거나 문자의 유희성을 약화시켰을 때, 저자의 목소리를 더 선명하게 들을 수 있다.

문자에서 말로

데리다의 로고스 중심주의 비판과 관련하여 위의 내용을 좀더 생각해보자. 데리다가 『그라마톨로지』에서 비판한 로고스 중심주의에 따르면 어떤 사물이나 의미를 전달하는 과정에서 목소리, 즉 로고스는 사물이나 의미에 가장 가까이 있고, 그 때문에 존재의 궁극에 다다르려는 형이상학을 구성한다.* 로고스 중심주의는 로고스-목소리를 사물과 의미에 직접 일치시키는 일종의 특권을 누려왔

* 자크 데리다, 앞의 책, 2010, 50쪽.

다.* 데리다가 설명한 로고스 중심주의는 표음문자의 형이상학이자 민족 중심주의를 동반하는 것으로, 로고스에 진리 일반의 근원을 부여한 형이상학이다. 소리와 로고스가 맺은 공범관계는 이론으로서의 형이상학의 역사를 지배했다.**

이렇게 본다면 단테의 목소리를 들으면서 단테라는 기원에 접근한다는 생각은 로고스 중심주의에 빠져 있다는 인상을 줄 수 있다. 하지만 우리는 단테의 목소리를 단테와 분리하지 않는 만큼 단테의 문자를 단테와 분리하지 않는 효과를 함께 생각해야 한다. 말하자면 단테가 사물을 인지하면서 형성된 내면과 거기서 나오는 목소리 그리고 그것을 쓴 문자 사이의 관계를 다시 세밀하게 탐사해보자는 것이다. 그 과정에서 단테의 목소리를 듣는 것이 바로 문자를 쓰고 읽는 단계에서 일어나는 일임을 알게 된다. 문자는 단테의 사라진 목소리를 사라짐 자체로 들을 수 있는, 완벽하지는 않으나 우리에게 유일하게 허락된 흔적이다.

이에 비해 페르디낭 드 소쉬르Ferdinand de Saussure, 1857-1913는 문자의 단계를 따로 떼어서 생각했다. 소쉬르는 『일반 언어학 강의』에서 문자와 소리가 짝을 이루지 않는 문자체계를 설명하는 데 집중했다. 그런데 여기에는 '누가' 그 문자 기호체계를 사용하는지에 관한 진지한 고찰이 빠져 있다. 모든 인쇄본에 똑같은 철자로 찍힌 똑같은 기호체계를 분석하는 작업에만 전념할 뿐, 그 똑같은 철자가 찍히기 전이나 후에, 누가 어떻게 '다르게' 썼고 쓰는지는 문제 삼지 않는 것이다.

우리가 단테의 문자에 주목해야 할 이유가 바로 여기에 있다. 누

* 자크 데리다, 같은 책, 2010, 63쪽.

** 자크 데리다, 같은 책, 2010, 25-26쪽.

구나 '다르게' 쓸 수 있다는 점을 염두에 두고, 그렇게 '다르게' 쓰는 사람이 '다르게' 쓰면서 냈을 물질적 목소리에 귀를 기울여보아야 한다. 또한 그 목소리를 내게 했던 현실의 경험을 비롯해 내면에 들어 있던 정신이나 감정, 무의식을 탐사해야 한다.

단테의 목소리

나는 단테의 목소리에 관해 계속 얘기하고 있다. 그 '목소리'는 소쉬르가 말하는 청각 이미지뿐 아니라 단테의 성대가 만들어내는 물리적 음성 자체를 가리키기도 한다. 소쉬르는 음성가치가 음성 사이의 차이에서 나온다고 주장했다. 문자는 그 차이를 인지하고 청각 이미지를 떠올릴 수 있게 한다. 그 전체가 언어라고 불린다. 이렇게 생각하면 단테의 '목소리'가 곧 단테의 언어다. 그런데 단테의 '목소리'는 단테의 목에서 울리는 물리적 소리 자체를 가리키기도 한다.

나는 이제는 도저히 확인할 수 없는 그 물리적 목소리에 실렸을 단테의 내면이 어떻게 우리 귀에 도달하고 우리가 그 내면에 젖어 드는지를 상상하고자 한다. 여느 작가처럼 단테는 문자를 쓰면서作 자신의 살아 있는 목소리를 뒤편에 두고 문자에 소리를 새겨넣었다. 하지만 문자에 깃든 소리 이전에 그의 성대를 울리며 나왔을 물질적인 목소리를 상상하는 것은 그의 언어를 대하는 또 다른 방법을 제시한다. 특히 단테의 언어는 그런 측면으로 접근할 필요가 있다.

이런 작업은 소쉬르가 따로 떼어내 생각했던 문자의 단계에서 출발해 소리와 인지를 거쳐 사물로 나아가는, 즉 아리스토텔레스의 순서를 되짚어가는 일종의 고고학적 탐사인 셈이다. 요컨대 우리가 단테의 글을 읽는 행위는 문자 단계에서 출발해 사물 단계로 되짚어감으로써, 기원의 지점에서 목소리를 계속 내고 있는 그와 소통하는 과정이다.

아리스토텔레스의 순서를 되짚어가는 고고학적 탐사

사물 ← 인지 ← 소리 ← 문자

목소리를 묶는 책

지금까지 설명한 단테의 목소리를 듣는 일은 로고스 중심주의를 따르기는커녕 로고스 중심주의에 대한 데리다의 비판과 결이 같다. 그 단서를 단테는 『신곡』의 끝부분에서 제공한다. 단테는 마지막에 가서야 자신의 순례가 내내 책 속에서 진행되었음을 깨닫는다. 그의 깨달음은 우주의 모든 부분이 한 권의 책 속에 묶인 모습을 목격하는 장면에서 잘 드러난다.

나는 그 깊숙한 곳에서 보았다.
우주를 가로질러 흩어진 것이
한 권의 책 속에 사랑으로 묶인 것을.

그 안에서 실체와 사건 그리고 그들의 관계가
아우러져 있었으니, 내가 말하는 것은
하나의 단순한 빛일 뿐이다.

나는 이 매듭의 우주적 형식을 보았다고
믿노니, 이렇게 말하면서 내 마음은
더 널리 뻗어나가는 기쁨을 느끼기 때문이다.

「천국」 33곡 85-93

천국의 꼭대기에 오른 단테는 영원한 빛의 깊숙한 곳에서 자신이 주인공으로 등장하는 책을 바라보고 있다. 그 책은 순례자가 지옥과 연옥 그리고 천국"우주"을 돌아보는 동안 줄곧 머리와 가슴에 담아두고 있던 "사랑"으로 묶여 있다. 그 책을 바라보면서 단테는 순식간에 순례자에서 작가로 변신한다(특히 88행 이후에 작가의 목소리로 현저하게 바뀐다). 책은 이제 순례자의 눈앞이 아니라 작가가 말년을 보낸 라벤나 또는 또 다른 어느 도시의 책상 위, 작가 앞에 놓여 있다.

우주의 원리를 사랑으로 이해한 단테는 현실의 삶과 가상의 세계에서 펼친 구원의 여정을 한 권의 책에 담아 연결한다. 순례자로서 내세의 여행을 마치고 『신곡』을 완성한 작가 단테는 책 속에서 다시 순례자로 분扮해 어두운 숲에서 길을 잃고 서성이는 독자를 이끌고 새로운 순례를 준비한다. 이는 독자가 『신곡』을 펼쳐 들 때 일어나는 일이다. 순례는 새롭게 시작되지만, 이전과는 다르다. 똑같은 반복이 아니라 차이를 이루는 반복이다. 계속해서 새로운 궤적을 그리는 나선형의 순례라고 불러도 좋겠다. 순례가 나선형인 이유는 독자가 바뀌기 때문이고, 단테라 불리는 순례자도 매번 새로운 존재로 바뀌기 때문이다. 그래서 『신곡』은 매번 새로운 순례자와 매번 새로운 동반자를 싣고 그것이 놓인 사회적·역사적 맥락의 파도에 따라, 궁극적으로는 우주의 리듬에 따라 모습을 바꾼다.

순례자는 우주에 흩어진 조각들이 사랑으로 한 권의 책에 묶인 모습을 순례의 끝자락에서 보았다. 여기서 책volume은 아홉 개의 하늘이 회전하는 우주를 상기한다. 단테가 경험한 신의 나라, 즉 천국은 아홉 개의 하늘이 회전하며 조화로운 협화음을 내는 곳이다. 라틴어 'volumen'회전된 것은 둥글게 말려 있어 읽으려면 돌려서 펼쳐야 하는 두루마리를 가리킨다. 원을 그리듯 책의 낱장을 넘기는 것을 떠올려도 무방하리라.

귀스타브 도레, 「엠피레오」(1868).
단테와 베아트리체가 천국의 엠피레오를 나란히 서서 바라보고 있다.

나의 시야는 더 맑아져 있고
스스로 진실한 저 드높은 빛줄기 속으로
더욱더 깊이 파고들고 있었으니.
「천국」 33곡 52-54

중세에서 책은 첩帖으로 구성된다. 이탈리아어로 'quaderno'인 첩은 세 번 접어 여덟 또는 열여섯 쪽을 만드는 종이를 가리킨다. 이들은 꿰매져서 책등에 묶인다. 단테는 우주를 가로질러 흩어진 것이 한 권의 책 속에 사랑으로 묶여 있는 광경을 영원한 빛의 깊숙한 곳에서 목격했다. 여기서 책으로 묶인 것은 예언가 시빌라의 점괘처럼 바람에 날려 말로 "흩어진"(squaderna, 첩帖이 풀렸다는 뜻이다. 「천국」 33곡 85) 로고스, 즉 하느님의 말씀이다. 단테는 귀로 들어온 말을 한 권의 책에 문자로 정착시키는 작업을 떠올린다. 흩어져 있는 로고스를 문자로 꿰매어 묶는 일이다.

이제 우리에게 남은 것은 문자뿐이다. 그래서 우리가 해야 할 일은 문자로 남은 단테의 흔적을 읽으며 그가 냈던 목소리를 듣고, 그 목소리가 나왔을 내면을 상상하며, 그 내면과 조응했을 그의 삶과 세계를 확인하는 일이다. 그런 과정 전체는 기호의 사슬로 구성되어 있다. 푸코는 "세계는 해독되어야 할 기호들로 뒤덮여 있으며, 인식한다는 것은 곧 해석한다는 의미다"*라고 말한다. 우리는 단테가 남긴 문자를 풀이하면서 내면과 현실경험을 새롭게 해석하고 새로운 의미를 부여한다.

요점은 무엇이 문자를 가치 있게 하느냐다. 문자에 바탕을 둔 문학형태가 오랫동안 유지되어온 마당에 모든 가치를 구술에만 두는 일은 바람직하지도, 가능하지도 않다. 하지만 문자 중심으로 흐르는 일방적 현상에도 문제가 있다. 문자의 가치는 문자를 눈으로 읽고 쓰는 대상으로만 보는 데서 벗어날 때 배가된다. 연주자가 악보를 보지 않고 연주하거나, 문맹이었던 호메로스가 (결과적으로) 최고의 문자를 구사한 것처럼 말이다. 악보를 눈으로 보고 하는 연주만이

* 미셸 푸코, 이규현 옮김, 『말과 사물』, 민음사, 2012, 58-59쪽을 재번역했다.

유일하고 최고라 한다면, 문맹이었던 호메로스가 남긴 문자는 아무 가치가 없다고 한다면, 누가 동의하겠는가.

8 맥락

로고스와 맥락

단테가 남긴 문자를 눈으로 읽기에 치중하는 대신 그의 목소리에 귀 기울이자는 주장이 빠질 수 있는 함정은 로고스 중심주의가 아니다. 오히려 문자 또는 텍스트가 저자의 의도와 별개로 존재하고 작동한다고 생각하는 문자 중심주의 또는 텍스트 중심주의다. 하지만 더 중요한 것은 하나의 텍스트를 풍요롭게 하는 자유로운 해석을 수행하기 위해서는 맥락context에 근거해야 한다는 점이다.

맥락은 작가와 텍스트 그리고 독자의 차원을 아우르며 형성되는, 개념이라기보다는 하나의 과정이다. 그 셋으로 구성되는 맥락은 끊임없이 변한다는 면에서 끊임없이 새로운 해석을 도모한다.* 문자

* 나는 다른 책들에서 이렇게 설명했다. "결국 맥락의 네트워크를 짠다는 것은, 새로운 기반들의 끊임없는 건설, 대안적 또는 대항 해석들의 끊임없는 제기, 공통 기반들의 끊임없는 거부와 창출, 텍스트와 현실의 끊임없는 상호작용, 그리고 궁극적으로 현실의 끊임없는 재구성을 가리킨다." 박상진, 『에코 기호학 비판』, 열린책들, 2003.
"맥락의 비구속성(boundlessness)은 맥락이 역사와 현실에 구속된다(context-bound)는 사실에서 나온다. 역사와 현실은 너무나도 가변적이고 결정되지 않기 때문에, 맥락도 역시 그 비결정성에 매이는 것이다." 박상진, 『열림의 이론과 실제』, 소명출판, 2004.

중심주의는 물론 로고스 중심주의는 이런 맥락에 따른 해석 과정에서 단지 한 부분을 차지하거나 그 작동을 방해할 뿐이다. 문자든 로고스든 어느 하나에 해석의 근거를 가두기 때문이다. 자유로운 해석을 추구하기 위해서는 그 모든 중심주의를 해체함과 동시에 작가의 목소리에 귀 기울이고, 그 목소리가 스며든 문자를 주시하며, 그렇게 하는 독자 자신의 입을 열어야 한다.

이는 곧 작가-텍스트-독자로 짜인 맥락을 가동시킨다는 의미다. 단테는 목소리와 문자를 누구보다 잘 연결한 작가였다. 모름지기 작가는 자신의 살아 있는 목소리로 그것을 듣는 집단과 더 직접적으로 소통한다. '작가와의 만남' 같은 행사를 열어 창작배경이나 의도를 설명할 수 있고, 몇몇 부분을 직접 읽어줄 수 있으며, 그런 내용이 담긴 책을 따로 출간할 수 있다. 또는 자신의 목소리가 문자로 정착되어 결국 한 권의 책으로 묶여 있음을 인정하거나 확인해줄 수도 있다. 그래서 작가의 의도에 휘둘리지 말고 그 책에 쓰인 문자들을 자유롭게 해독하는 일종의 기호풀이 게임을 독자들에게 권유할지도 모른다.

하지만 이러한 작가의 설명이나 권유는 내가 지금까지 설명해 온 작가의 목소리와는 사뭇 다르다. 예를 들어 에코는 『장미의 이름을 어떻게 썼는가』*라는 책을 출간하여 『장미의 이름』이라는 복잡다단한 텍스트를 세부적으로 해부하고 설명하는 친절한 작가로서의 책무를 다하고자 했다. 나는 그 책에서 에코의 살아 있는 목소리를 들었지만, 『장미의 이름』을 읽는 동안 결코 그 목소리에 끌려다니지 않았다. 그의 목소리는 다만 나의 해석을 위한 하나의 참고사항에 지나지 않았다. 이렇게 자신의 작품을 친절하게 설명하는 작

* Eco, Umberto, *Postille a Il nome della rosa*, Gruppo Editoriale Fabbri, 1985.

가의 목소리는 오히려 작가 중심주의를 강화할 수 있다. 반대로 텍스트의 문자 사이에 스며들어 있는 목소리에 귀 기울이면, 그 텍스트에 더욱 섬세하고 다양하며 풍부한 방식으로 접근할 수 있다. 이는 신비롭고 때로는 내밀하며 때로는 우렁찬 힘으로 텍스트에 새겨진 '딱딱한' 문자들을 녹여낸다(지옥의 문에 새겨진 글자들을 본 단테가 그들을 '딱딱하다'고 표현한 것을 생각해보자. 그는 글자의 뜻을 이해하지 못했던 것이다. 단테의 순례는 그 딱딱함을 누그러뜨리고 녹여내는 과정과 다르지 않았다. 그 과정에서 단테는 딱딱한 문자에 스며들어 있는 지옥이란 존재의 느낌을 한시도 떨쳐버린 적이 없었다). 작가의 목소리를 계속 들리도록 하는 일은 문자에 스며든 작가의 존재를 감지하고 인지하도록 하기 위해서다. 작가의 직접적인 설명이나 권유를 따라가는 행위와는 근본적으로 다르다. 말하자면 우리는 작가의 목소리를 추종하기보다는 동반한다. 그 수평적 동반관계에서 딱딱함은 부드럽게 녹아내린다.

응축과 발산

단테는 하느님처럼 아무것도 없는 상태에서 말을 시작하지 않았다. 단테의 독서경험이 그가 말하도록 이끌었다. 이는 문자로 형성된 내용을 말로 옮기는 일종의 번역이다. 번역은 문자에 담긴 개념을 말로 풀어 설명한다는 면에서 발산이라고 할 수 있다. 다른 한편 단테는 처음부터 문자로 써 내려가지 않고, 말로 발음하거나 발음하는 광경을 떠올리면서, 말을 문자로 옮겼다. 필사는 말을 문자로 개념화하고 정착시킨다는 면에서 응축이라고 할 수 있겠다. 말하자면 단테는 번역가이자 필사가로서 문자를 말로 풀어내고, 풀어낸 말을 다시 문자로 엮었다.

그 결과 단테에게, 정확히 말해 그가 남긴 책에서 말과 문자는 함

시모네 마르티니(Simone Martini, 1284-1344), 「수태고지」(1333).
천사 가브리엘의 말은 문자의 형태로 마리아에게 전해진다.
이제 마리아에게는 문자에 담긴 내용을 번역해
말로 풀어내는 일이 남았다. 마리아는 그 일을 예수 그리스도의
출산과 양육이라는 위대한 자유의지의 실행으로 성취해낸다.

께, 동시에 일어난다. 그의 문자에는 말하기라는 느낌이 스며들어 있고, 그의 말하기에는 문자에 담긴 사고가 깔려 있다. 단테는 말과 문자의 전환을 동시에, 한 장소에서 일어나는 하나의 경험으로 겪었다. 단테의 경험은 말과 문자를 순차적·직렬적으로 세우는 대신에 병렬적으로 배열하는 것이었다. 그 둘이 병렬하는 방식으로 쓰인 언어는 응축과 발산을 '동시에' 일으키는 힘을 지닌다. 처음부터 말로 발산될 운명을 지닌 응축된 문자. 바로 그것이 단테가 우리에게 남긴 책에 들어 있다. 단테가 천국의 꼭대기에서 본, 우주의 흩어진 파편들을 사랑으로 묶은 한 권의 책은 바로 그곳까지 오르는 내내 그가 써왔던 자신의 책이었다. 단테는 그 속에 "실체와 사건 그리고 그 둘의 관계가 아우러져 있음"을 관찰하는데, 그 "실체"가 문자의 개념성이라면 "사건"은 말의 구술성을 가리킨다.

단테는 문자와 말을, 실체와 사건을, 개념과 구술을 함께, 동시에 병렬시키는 방식으로 글을 쓰면서 말에서 문자로 넘어가는 과도기에 서 있었다. 단테는 문자 중심의 문화를 이룰 인쇄문화 이전에, 즉 구술성을 늘 한쪽에 지닌 필사문화의 단계에 머물러 있었다. 14세기 중반까지 지속되었던 그 공존의 시대에서는 글로 쓰인 것은 소리를 듣는 일을 보조하는 위치에 머물러 있었다.

9 언어의 분절

단테가 서 있던 언어

지옥의 밑바닥까지 내려간 순례자는 잠시 멈춰서서 그곳의 광경을 묘사하고 전달해야 할 작가로서의 책무에 대해 곰곰이 생각한다.

다른 모든 바위가 내리누르고 있는
저 슬픈 구멍에 잘 들어맞을
거칠고 쓰디쓴 시구들을 지녔다면,

내 생각의 즙을 더 완전하게
짜내련만, 지니고 있지 못하기에
두려움 없이는 말을 이어갈 수 없다.

우주 전체의 바닥을 묘사하는 것이란
희롱하는 것처럼 쓰일 일도, 엄마나 아빠라
부르는 말에 맞는 일도 아닐 테니.

「지옥」 32곡 1-9

지옥의 밑바닥은 지옥 전체를 받치는 "슬픈 구멍"이다. 단테는 자신의 언어가 그곳에 잘 들어맞을 수 있는 거칠고 쓰디쓴 것이기를 바란다. 하지만 불행하게도 그런 언어를 지니지 못했기에 그저 두려움만 느낄 뿐, 생각을 제대로 정리하지 못한다. 그의 언어는 결코 약하지 않지만, 지금 당장 묘사해야 할 대상은 그의 뛰어난 언어를 넘어설 정도로 비현실적이고 두렵다.

왜 단테는 지옥의 밑바닥까지 내려가서 자신의 언어에 회의를 느꼈던가? 우선 대상을 제대로 이해하지 못했기 때문이다. 처음 지옥의 문에 쓰여 있는 문자를 본 순례자는 그 의미가 딱딱하다고 반응한다. 의미의 딱딱함이란 문자의 뜻이, 문자가 표상하는 지옥의 본질이 그가 이해하는 범위를 넘어선다는 말이다.

어느 문 꼭대기에 쓰인 어두운 색의
말들이 눈에 들어왔다. 이를 두고 나는,
"선생님! 저들의 의미가 딱딱합니다."

그러자 이해한 사람처럼 그가 내게,
"여기서는 모든 의심을 버려야 한다.
모든 비겁을 여기서는 죽여야 한다."
「지옥」 3곡 10-15

단테는 지옥문에 쓰인 문자를 해독하지 못한다고 호소하건만, 길잡이는 그 의미를 가르쳐주는 대신, 의심을 죽이고 비겁을 잠재우라는 뜻밖의 대답을 한다. 문자에 의미를 부여할 줄 모르는 무능력이 아니라, 의미를 부여하는 데 필요한 믿음과 용기의 부재를 질책한다. 해독할 수 없는 문자는 해독해야 할 대상이 아니다. 오히려 해독할 수 없다는 두려움과 망설임을 물리친 후 믿음과 용기를 품고 극복해야 할 대상이다.

지옥의 밑바닥까지 순례하는 내내 겪은 지옥은 순례자가 이해하는 차원을 넘어섰을 것이다. 다만 순례자는 자기가 보고 들은 것을 충실하게 기록할 뿐이었다. 그래서 지옥의 중심에 이르러, 다시 한번 이해력과 언어가 부족하다는 심정을 토로하고, 그저 보고 들은 대로 전하겠다고 새삼 다짐한다. 그래서 다음과 같이 이어 진술한다.

그러나 안피오네를 도와 테베를 닫은
저 여인들은 나의 시구를 도와서
내 말이 사실과 다르지 않도록 하시라.

「지옥」 32곡 10-12

암피온"안피오네"은 제우스와 안티오페의 아들로, 음악에 조예가 깊었다. 전설에 따르면 암피온이 테베의 성을 쌓을 때 뮤즈들("여인들")이 도왔다고 한다. 암피온은 리라를 연주하며 획득한 음악적 조화의 힘으로 키타이론Cithaeron산에서 굴러떨어진 암석이 질서와 모양을 갖춰 테베의 성벽을 이루게 했다. 단테는 파멸과 혼돈뿐인 지옥의 중심부를 다루면서 어울리지 않게도 조화음악와 창조뮤즈의 힘을 빌리고자 하는 역설을 보여준다.

그러나 이 역설은 그다지 거슬리지 않는다. 지옥의 중심부를 역설적으로 다루는 단테의 목적은 궁극적으로 악을 비판하고 선을 지향하는 것이기 때문이다. 또한 조화와 창조의 힘 덕분에 단테는 순례자의 이해 너머까지 묘사하고 담아낼 수 있었다. 그것을 단테의 시적 언어의 승리라고 말할 수 있다면, 그 승리는 지옥문의 문자 뒤에 숨은 여러 기의를 무수한 갈래로 추적하고 드러내면서 성취한 것이다. 그 일은 작가이자 순례자로서 단테뿐 아니라 독자도 나서서 해야 한다. 시적 언어란 곧 해석의 무한성을 도모하는 언어이기 때문이다.

단테는 어떤 언어로 자신을 표현했던가? 어떤 언어로 외부와 소통했던가? 이는 단테의 언어가 어느 나라의 말인지를 묻는 것이 아니라, 어떤 '종류'의 언어였는지를 묻는 것이다. 앞에서 단테가 수행한 말과 문자의 병렬적·동시적 배치에 대해 얘기했는데, 이를 이탈리아 속어[모어]와 라틴어[학습된 언어]로 바꾸면 단테의 언어는 이탈리아 속어의 경험과 라틴어의 지식을 아우르며 나온 또 다른 생명체라고 할 수 있다. 단테는 이탈리아 속어를 모어로 체득하면서 모호하고 추상적인 감정을 표현하는 토대를 마련했고, 라틴어를 학습하면서 구체적이고 체계적인 사고를 펼치는 통로를 열었다. 그렇게 해서 단테는 일찍이 유례없는, 개인과 세계를 잇는 거대한 세상을 만들었다.

언어상실의 두려움

앞의 인용문[「지옥」 32곡 1-9]을 다시 보자. 앞서 살핀 대로, 단테는 지옥의 밑바닥까지 내려가며 한창 순례하던 와중에 갑자기 자신의 언어가 과연 잘 작동하는지 자문하면서 사물을 따라가지 못한다고 고백한다. 그래서 생각을 더 이어나가지 못할 뿐 아니라 경험을 온전한 틀에 담아 전달할 수 없다고 토로한다. 이제 그에게 남은 것은 '두려움'뿐이며 "두려움 없이는 말을 이어갈 수 없다." 두려움이야말로 자신의 언어를 유지하는 힘이 된 것이다. 이는 지옥의 극한에 대한 두려움이기도 하지만 상실되어가는 언어에 대한 두려움이기도 하다. 지옥에 대한 두려움, 언어상실에 대한 두려움이 역설적으로 지옥의 가장 무섭고 무거운 곳으로 내려가는 순례자의 발길을 받쳐준다.

여기서 단테가 잃어버릴까 봐 두려워하는 언어란 무엇일까? "우주의 중심 바닥을 묘사하는 것"은 "엄마나 아빠라 부르는 말"이 아니라는 부연에서 알 수 있듯이, 학습으로 얻은 라틴어와 창작으로 세련시킨 이탈리아어 모두일 것이다. 그런데 그의 이탈리아어는 엄마의 입에서 나오는 소리를 들으며 저절로 체득한 모어였다. 옹알이를 할 때는 언어가 제대로 분절되기 이전이다. 그렇게 잠재태로 있던 언어는 엄마와 아빠의 말에 대답하면서 특정한 언어가 된다. 바로 그것이 모어다. 모어는 우리의 감정과 내면을 꺼내 담는 문학의 필수적인 도구이지만, 사실 모어조차도 우리의 원초적 감정과 내면을 기존의 틀에 담은 분절의 결과다. 결국 인간의 감정과 내면은 기존 언어에 따라 분절되는 한에서 재현되고 전달된다.

바로 이 점을 단테는 잘 의식하고 있었던 것 같다. 그는 "우주의 중심 바닥을 묘사하는 것"은 태어나서 제대로 의식이 형성되기 전의 옹알이"엄마나 아빠라 부르는 말"로는 도저히 불가능하다고 하면서, 그 대신 '두려움'의 언어가 필요하다고 말한다. 이에 덧붙여 천국의 꼭대기에 올라 내세의 순례를 다 마치고 난 뒤에 순례의 기억을 재현하는 자신의 말이 어린아이의 옹알이보다 더 짧을 것이라고 거듭 확인한다.

이제 나의 말은 내가 기억하는 것보다,
엄마에게 여전히 혀를 적시는
어린아이의 옹알거림보다, 더 짧으리라.

「천국」 33곡 106-108

무릇 인간은 엄마와 아빠의 모어에 맞춰 자신의 감정과 내면을 분절하지만, 단테는 언어상실의 두려움, 지옥의 두려움 그리고 초월적 세계에 대한 두려움으로 채워진 내면이 자신의 언어를 분절하기를 기대한다. 그는 모어보다도 그 이전의 시기로 돌아가기를 원하는 것일까? 그래서 이미 존재하던 어떤 언어의 틀에 맞춰 자신의 내면을 분절하는 것이 아니라 자신의 내면에 따라 언어를 분절하고 싶은 것일까? 모든 언어의 이전으로 돌아가지 않고서는 도저히 지옥의 두려움을, 천국의 초월적 경험을 담아 전달할 수 없다는 사실을 깨달은 것일까?

두려움으로 분절되는 언어

"엄마나 아빠라 부르는 말"로 "우주의 중심 바닥을 묘사"할 수 없다는 것은 후천적으로 학습한 더욱 이성적인 언어가 필요하다는 말이기도 하지만, 인간의 내면이 기존의 언어 틀에 따라 분절되기 시작하던 옹알이 시절 이전으로 돌아가서 무정형의 내면에 깃든 원초적 두려움의 감정으로 자신의 언어를 다시 분절하기를 원한다는 말로도 이해할 수 있다. 결국 언어가 내면을 분절하면서 형성된 사회적 인간이, 절대적인 두려움을 마주함으로써 거꾸로 내면이 언어를 분절하는 원초적 경험의 세계로 귀환할 필요를 느끼는 창조적 인간으로 변신하는 것이다. 단테는 그런 식의 창조적 인간만이 지옥의 중심부에서 뿜어져 나오는 절대적 두려움을, 천국의 꼭대기가 발산하는 절대적 기쁨을 분절하는 언어를 구사할 수 있음을 깨달았다.

때로는 언어가 미치지 못하는 세계에 잠시 머무는 것도 좋다. 언어가 자꾸 우리를 배신할 때에는 특히 그렇다. 단테의 순례는 자신의 내면이 언어를 분절하는지 아니면 언어가 자신의 내면을 분절하는지의 사이에서 마치 추처럼 왕복하면서 이루어진다. 지옥에서는 절대적인 두려움이, 연옥에서는 절대적인 희망이, 천국에서는 절대적인 기쁨이 진동하는 언어를 만들어낸다. 이 진동이 소리를 만들고 빛을 만들며 그것들을 지각하게 한다.

"하나의 단순한 빛"「천국」 33곡 90. 그것이 마침내 천국의 꼭대기에 올랐던 단테가 우리에게 인간의 언어로 전할 수 있는 유일한 외침이었다. 자신의 잠재성을 끝까지 밀고 나가면서 우주를 눈에 담아내는 순례자의 망막의 진동, 빛의 파장, 소리 내는 언어는 처음부터 하나의 간결한 빛 속에서 관계를 맺으며 아우러져 있었다. 이것은 곧 단테가 『신곡』이라는 한 권의 책을 만들면서 겪었던 문학적 경험, 시적 언어를 만드는 경험이었다.

10 시적 언어

아담의 언어

작가 단테는 당시 대부분 사람이 『신곡』을 읽을 수 없는 현실을 고민했다. 말하자면 단테는 읽히지 않을 언어를 썼고, 따라서 『신곡』은 읽기가 불가능한 언어로 쓰였던 것이다. 그런 까닭에, 단테는 종이 위에 문자를 쓰면서 그 문자가 읽히기보다는 들리기를 원했고, 학습된 언어로서의 라틴어가 아니라 모어로서의 이탈리아 속어를 선택할 수밖에 없었다. 말로 떠돌던 이탈리아 속어를 문자로 정착시키면서 그 문자에 소리가 배어들기를, 그 소리가 사람들 귀에 가닿기를 원했다. 자신의 목소리가 상대에게 도달하기를 바라는 심정은 아마도 아담이 처음 하느님을 소리쳐 부를 때의 느낌과 같았을지도 모른다.

「지옥」에서 단테는 아담이 처음 만들어졌을 때 입을 열어 “이[I]”라고 발화하며 하느님을 부르는 장면을 그의 입을 빌려 이렇게 묘사한다.

> 내가 말했던 언어는 니므롯의
> 족속들이 이룰 수 없는 이 일에
> 전념하기 전에 완전히 소멸되었다.

어떠한 이성의 결과도, 하늘을 따라
바뀌는 인간의 기분 때문에,
언제고 지속된 적이 없었노라.

말하는 것은 사람이 타고난 일. 하지만,
이렇든 저렇든, 너희 좋은 대로
자연은 너희가 하도록 버려두신다.

나를 감싸는 기쁨으로 오시는
최고선은, 내가 지옥의 압박으로
내려가기 전까지, 세상에서 I로 불렸는데,

나중에 EL이라 불렸다. 그게 그럴 법한 것이,
사람의 습관은, 가고 나면 다른 게 오는,
가지의 잎과 같기 때문이니라.

「천국」 26곡 124-138

위의 천국 장면을 이해하기 위해 우리는 먼저 지옥에서 어떤 일이 있었는지 알아야 한다. 순례자는 천국에서 아담을 만나기 전에 이미 지옥의 밑바닥에서 니므롯을 만난 적이 있다. 「창세기」에 따르면[제9장과 제10장], 니므롯은 노아의 세 아들 가운데 함의 자손이다. 함은 포도주에 취해 벌거벗고 자는 노아를 보고도 돌보지 않아 노아의 저주를 받았다고 알려져 있다. 단테를 만났을 때, 니므롯의 입에서 나온 다음과 같은 소리는 아담의 언어가 얼마나 타락했는지를 극명하게 보여준다.

"라펠 마이 아메케 차비 알미"Raphèl maì amècche zabì almi.

「지옥」 31곡 67

니므롯의 역할을 이어받는 단테

니므롯이 뱉은 다섯 단어 가운데 세 단어라펠, 마이, 차비는 마지막 음절에 강세가 온다. 단테는 여기에서 중세 야만어의 특징을 보여주려 한 듯 보인다. 정돈된 이탈리아어는 대개 끝에서 셋째나 둘째 음절에 강세가 오며, 마지막 음절에 강세가 오는 경우는 극히 드물기 때문이다. 더욱이 위에 언급한 세 단어는 끝에서 둘째 음절에 강세를 두고 읽으면 편안하고 부드러운 느낌이 드는 반면, 마지막 음절에 강세를 두고 읽으면 입과 귀에 대단히 거슬릴 뿐 아니라 불안감과 긴장감마저 느끼게 된다.

베르길리우스가 평가하듯,* 이 소리는 아무런 뜻도 담기지 않은 잡음일 뿐이다. 단테는 이 소리를 바벨탑 사건"이룰 수 없는 일"과 관련짓는다. 바벨탑이 무너진 이후에 인간의 언어도 무너져내렸는데, 니므롯의 잡음은 바로 그 무너진 언어를 표상한다. 이어지는 구절은 아래와 같다.

사나운 입이 울부짖기 시작했는데,
더 달콤한 성가는 없을 성싶었다.

나의 길잡이가 그를 향해 말했다. "우둔한 망령이여!
분노나 다른 감정이 널 건드리거든

* "그의 말이 누구에게도 통하지 않듯이,
그에게는 어떤 말도 통하지 않는다"(「지옥」 31곡 80-81).

뿔을 쥐고 그걸로 풀려무나!

「지옥」 31곡 68-72

이 장면의 내용은 샤를마뉴Charlemagne, 742-814가 이베리아반도에서 사라센인들과 벌인 전쟁을 담은 프랑스의 옛 서사시 「롤랑의 노래」를 배경으로 한다. 배신자들의 지옥에 도착한 순례자는 778년 샤를마뉴에 맞섰던 가넬로네「지옥」 32곡 122를 배신의 전형적 죄인으로 생각했던 것 같다. 가넬로네의 배신으로 샤를마뉴의 조카 롤랑은 후위대를 지휘하던 중 적에게 포위당한다. 롤랑은 뿔나팔을 불어 본대에 구원을 요청했지만 너무 늦었고, 샤를마뉴가 도착하기 전에 이미 사라센인들에게 전멸당했다. 단테는 위에서 니므롯이 롤랑의 역할을 하는 것으로 설정한다. 하지만 니므롯은 뿔나팔을 부는 대신에 알아들을 수 없는 소리를 지른다.

니므롯은 「창세기」에서 "힘센 사냥꾼"으로 묘사된다「창세기」, 10:9. 단테는 그 사냥꾼의 이미지를 그대로 가져온 듯 보인다. 이해할 수 없는 잡음을 내뱉는 니므롯은 언어를 빼앗긴 후, 언어를 포획하여 입에 올리던 시절을 그리워하며 뿔나팔을 부는 언어의 사냥꾼이다. 그의 언어사냥은 영원히 실패한다. 단테는 아마도 니므롯과 만나면서 자신이 언어사냥꾼의 역할을 이어받아야 한다고 생각했을지도 모른다. 그래서 니므롯과 마주친 지옥의 밑바닥과 완벽한 대칭을 이루는 곳, 천국의 꼭대기에서 만난 아담의 입에서 "니므롯"이라는 이름이 나오는 것은 우연이 아니다. 아담은 자신의 언어가 "니므롯의 족속들이 이룰 수 없는 일에 전념하기 전에 완전히 소멸되었다"「지옥」 31곡 124-126라고 말하는데, 그것은 자신의 언어가 바벨탑 붕괴 이전에는 살아 있었다는 뜻이다. 니므롯의 성난 울부짖음이 바벨탑 붕괴 이후 영원히 타락한 언어라면, 아담의 언어는 바벨탑 붕괴 이

전에 사용했던 온전하고 자연스러운 것이었다.

니므롯의 회한과 아담의 경험으로 쓴 『신곡』

단테는 니므롯의 회한과 아담의 경험으로 『신곡』을 썼다. 아담의 발화가 그 이전에는 존재하지 않았던 기원의 언어였듯이, 단테도 이탈리아 속어를 구어에서 문자로 정착시키면서 비로소 언어로 존재하게 했다. 하지만 단테는 수많은 다른 속어가 존재하는 상황에서 새로운 언어를 만들었다. 아담도 바벨탑이 무너지는 혼란 속에서 자신의 순수하고 단일한 언어가 사라지고 수많은 이질적인 언어가 혼재하며 변해가는 현실을 인지한다. 아담은 하느님을 자신이 처음에 I로 불렀지만, 그가 죽은 뒤에 세상은 El로 부르기 시작했다고 말한다.* 하느님이라는 절대 존재의 호칭이 달라져서 여러 개로 나뉠 수 있다는 얘기는 사람의 습관이 변하듯, 언어도 변한다는 의미다.

아담의 언어는 하느님에게 이름을 붙이는 일에서 시작되었다. 사물에 이름을 붙인 창조자의 행위를 흉내 내고 반복함으로써 창조자의 창조를 완수했다. 아담이 하느님의 이름을 입에 담는 것으로 발화를 시작한다면, 단테는 『신곡』에서 속어를 시적 언어로 만든다. 아담이 창조자의 작업을 완수했다면, 단테는 그 작업을 다시 시작하고 지속한다. 천국에 올라선 단테는 그곳이 인간의 언어를 초월한, 말로 표현할 수 없는 세상임을 실감한다. 하지만 동시에 천국을 인간의 목소리로 불러내야 하는 작가로서의 임무를 절감한다. 그는

* I는 유대인이 하느님을 부르던 호칭 야훼(Iahweh)의 첫 글자를, EL은 야훼를 비롯한 일반 신을 부르던 호칭 엘로힘(Elohim)의 첫 두 글자를 딴 것이다.

인간의 언어를 초월한 천국을 인간의 언어로 묘사하고 이를 창조자에게 다시 들려주고 있다. 바로 그것이 단테의 시적 언어가 수행한 일이다.

단테가 아담의 경험으로 『신곡』을 썼다는 것은 아담이 이미 존재하는 사물에 서로 다른 소리를 지닌 이름을 붙였다는 점에서도 드러난다. 사물이 먼저 존재하고 그다음에 사물에 이름을 붙인 것은 하느님이 세상을 창조하는 방식을 거꾸로 적용한 것이다. 하느님은 이름을 먼저 불렀고 그다음에 사물을 창조했다. 그것이 무에서 유를 만드는 창조주의 일이었다면, 이미 존재하는 사물에 이름을 붙이는 일은 피조물에게 허락된, 유에서 유로 이어지는 창조였다. 사물에 이름 붙이는 것이 언어의 본질이라면, 단테의 글쓰기는 그 본질에 대단히 충실했다. 무엇보다 단테의 언어는 사물에 대한 자신의 경험에서 출발하고 거기로 귀결하기 때문이다.

따라서 단테 내부에서 뭔가를 불러주는 사랑의 신은 무에서 유를 창조하는 하느님과 달리, 이미 존재하는 사물에 이름을 붙이는 유물론적 존재다. 정작 단테에게 중요한 일은 이름 자체가 아니라, 이름을 사물에 붙이는 '행위'였다. 쓰인 언어에서 이름은 사물에 붙여진 '표찰'이지만 구술된 언어에서 이름은 사물에 힘을 불어넣는 '행위'를 가리킨다.

『신곡』의 언어를 대할 때, 그 언어가 문맹자 아담의 입에서 흘러나온다고 상상해보자. 글을 접하지 못했고 읽거나 쓸 줄 모르는 아담의 입에서 흘러나오는 언어는 엄마의 입에서 흘러나오는 언어를 귀로 듣고 입으로 흉내 내는 어린아이의 언어와 같다. 이런 문맹자의 언어는 발화하는 순간 사라지면서 제 역할을 다한다. 단테는 처음부터 한순간 사라져 없어질 음독의 언어로 『신곡』을 썼다. 우리가 『신곡』이라는 책을 들고 그저 침묵을 지키며 활자를 눈으로만 좇는다면 그 심원한 기원의 목소리를 듣지 못할 것이다.

시적 언어의 포획

단테의 언어는 아담에서 시작된 단일한 언어 공동체가 바벨탑 붕괴와 함께 여러 언어 공동체로 나뉜 '이후에' 나왔다. 단테는 지옥의 밑바닥에서 니므롯의 이해할 수 없는 울부짖음을 들으며 언어의 혼란과 붕괴를 절실히 느꼈지만, 동시에 그 혼란과 붕괴가 자신이 처한 14세기 초반, 『신곡』을 쓰던 시절 그를 둘러싼 현실임을 자각하고 있었다. 당시 라틴어가 지배력을 잃으면서 다양한 지역의 속어들은 난립을 거듭하고 있었다. 이런 상황에서 단테는 원활한 소통을 위해 새로운 언어를 내세워야 하는 소명을 수행했다. 혼재의 상황이 소통의 언어가 자라나는 토대였던 것이다. 그러므로 니므롯의 잡음은 단테가 소통의 언어를 펼치려는 '배경'으로 작용했고, 니므롯의 언어사냥꾼으로서의 회한은 단테가 시적 언어를 포획하려는 '욕망'으로 변했다고 말할 수 있다.

소통의 언어와 시적 언어는 함께 탄생한다. 우리는 초월적이지 않은 단테의 시적 언어에 귀 기울여야 한다. 시적 언어는 비본질적이다. 시적 언어는 일정한 상황 속에서 사건처럼 겪은 경험이 곧 사라지는 것처럼 유한하다. 시적 언어는 사물을 가리키며 울리는 동시에 그 울림만 남기고 사라진다. 정확히 말해, 그렇게 사라지고 남은 흔적이 곧 시적 언어다. 시적 언어는 눈으로 읽는 대상보다는 귀로 듣는 과정으로 우리에게 떠오른다. 사라짐으로 남는다는 면에서 우리의 죽음을 향한 필멸의 실존과 포개지기 때문이다. 시적 언어는 찢어지고 부서지면서 우리가 처한 필멸의 상황을 보여준다.

11 사물의 언어

내세와 현세의 관계

단테가 『신곡』에서 묘사하는 내세의 영혼들은 현세에서의 구체적인 경험을 잘 기억하고 있다. 그들이 보여주는 독특한 개성은 완성된 채 영원히 변하지 않는다. 반면 현세는 내세에서 완성될 개성에 대한 예시적 비유로만 존재한다. 현세에서 인간이 겪는 일은 내세에서 완성될 개성의 파편이다. 그러나 그렇다고 해서 현세의 일이 내세에 비해 부차적이라거나 의미가 없다는 말은 아니다. 설사 파편이라 할지라도, 아니 파편이기 때문에 현세의 일은 구체성과 현실성을 획득한다.

바로 이런 관점이 내세와 현세의 관계에 대한 단테의 생각을 지배한다. 단테는 근본적으로 내세의 완전성과 현세의 불완전성을 연결하는 구도 위에서 『신곡』을 써 내려갔다. 그러나 내세의 완전성을 현세의 불완전성이 다다라야 할 궁극의 목표로 설정하지는 않았다. 다만 참고용일 뿐이다. 단테는 내세에서 완전해지는 모습을 참고하면서 현세에서 뭔가를 성취해나가는 실천을 중요하게 생각했다. 따라서 내세와 현세의 구분은 각각의 기능을 잘 발휘하는 관계를 이루는 한에서 의미가 있으며, 서로를 격리하는 것은 의미가 없다.

관련해서 아우얼바흐의 글을 인용할 필요가 있다.

역사의 물결은 피안에까지 밀려간다. 그것은 현세적 과거에 대한 추억으로, 현세적 현재에의 참여로, 현세적 미래에 대한 걱정으로, 그러면서 언제나 무시간적 영원 속에 지속되는 시간성 속에서 비유적 예시로 물결치는 것이다. 죽은 자는 피안에서의 그의 처지를, 그들의 현세적 드라마의, 계속되며 항시적인 최후의 막으로 경험한다.*

그래서 『신곡』의 등장인물은 예외 없이 내세피안의 존재들이고 완전한 실재성을 지닌 채 등장하지만, 그들이 신의 질서로 완성되기 때문이 아니라 자신의 개별성을 인지하기 때문에 당연히 그 개별성은 현세에 닿아 있다. 이는 현세에서부터 내세로 올라간 또는 내려간 어떤 힘이다. 따라서 내세의 존재가 실재성을 완성하는 필수불가결한 요소는 현세과거의 개성을 견지하는 일이다. 그리고 이 불가역적인 관계가 현세에서 지녔던 개성의 효과를 한껏 더 높인다.

얼마나 많은 [내세의] 인물이 우리 눈앞에 현세적·역사적인 삶, 행동, 노력, 느낌, 정열을 펼쳐 보이는가. 현세에서도 그와 같이 다양하고 강력한 힘을 지닌 인물들을 보여주지 못할 것이다. …그렇게 피안은 인간과 인간이 지닌 정열의 무대가 된다.**

이 내세의 무대에서 정작 내세(피안)는 배경으로 밀려나고 현세

* 에리히 아우얼바흐, 김우창·유종호 옮김, 『미메시스』, 민음사, 2012, 216-217쪽. 일부 용어를 재번역했다.
** 에리히 아우얼바흐, 앞의 책, 2012, 220쪽. 일부 문장을 재번역했다.

적인 삶의 인물들이 그 무대에 등장한다. 지옥과 연옥의 영혼들은 익명이 아니라 현세에서 지녔던 개성을 계속해서 유지한다. 현세부터 이어진 이 개체성 때문에 그들이 고통을 겪는 방식, 느끼는 정도, 내용이 모두 다르다. 단테는 인간이 현세에서 경험한 사건과 내세에서 겪는 고통이 서로 맞물린 구성을 보여준다. 죄인들의 개성은 현세보다 내세에서 오히려 더 뚜렷해지며, 현세보다 더 현세적인 내세가 펼쳐진다.

소통의 욕망

내세의 영혼은 단테에게 말을 걸고 싶어 한다. 회한, 두려움, 공포, 희망 그리고 행복을 전하고 싶은 마음에서다. 그러나 지옥과 연옥에서 그러한 시도는 예외 없이 장애물에 가로막힌다. 징벌이든 속죄든, 그들이 처한 상황은 매끈한 소통을 허락하지 않는다. 하지만 그 때문에 역설적으로 그들의 소통욕구는 더욱 커져서 말과 동작에 호소력을 더하고 결국 순례자는 동요한다.

한편 상대적으로 장애물이 적은 천국에서 영혼들이 품는 소통의 욕망은 줄어들고, 순례자의 마음도 평안해진다. 그러나 바로 그 이유로 그곳 영혼들과 소통하고 싶어 하는 순례자의 욕구는 현저하게 증가한다. 말하자면 단테의 소통욕구는 지옥과 연옥에서는 상대가 촉구하여 시작되었지만 천국에서는 위치를 바꿔 능동적으로 발전한다. 천국에서 단테가 소통행위 자체를 더욱 근본적인 차원에서 성찰하기 시작하는 것은 바로 그 때문이다. 천국은 결코 단테에게 완전한 장소가 아니며, 오히려 인간의 문제를 이전에 방문한 지옥과 연옥에서보다 훨씬 더 문제적인 방식으로 사고하는 장소가 된다.

리얼리티의 한순간

아우얼바흐의 용어를 빌리면 지옥과 연옥의 영혼들이 소통하고자 했던 동기는 그들의 '내밀한 리얼리티'였다.* 그리고 그들과 만난 단테는 삶의 방대한 서사시보다는 리얼리티의 한순간을 재현하고자 했다. 그 한순간은 섭리로 결정된 그 사람의 궁극적인 운명을 담아낸다. 따라서 단테가 재현하는 것은 그 사람의 진정한 본질이며, 또한 그 본질을 반영한 하느님의 심판이다. 그 성공적인 재현을 위해 단테는 축약과 생략을 동반하는 선택의 기법을 사용했다. 바로 그것이 기억에 의존할 때의 글쓰기 방식이다.

삶을 축약하고 어떤 부분은 생략하면서 삶의 전형이 될 만한 장면을 선택하는 것은 바로크미술에 큰 영향을 미친 카라바조의 작업 방식과 유사하다. 카라바조는 그림에서 어둠과 빛의 극명한 대조를 활용했는데, 어둠을 생략해 빛의 존재를 드러냄으로써 어둠이 빛의 잠재적 존재가 되는 기법을 보여주었다. 단테 이전에 이런 방식으로 작업한 시인은 없었다. 단테는 다양한 사건을 낱낱이 기록하지 않는다. 다만 각 사건은 그에게 삶의 전형이 될 만한 장면을 단번에 드러내는 순간이며, 바로 그때 단테는 그 사건을 겪은 저승의 영혼들을 만날 뿐이다.

"아, 당신이 세상으로 돌아가서
길고긴 길에서 휴식을 취하게 되거든

나를 기억해주세요! 나는 피아랍니다.
시에나가 날 만들었고 마렘마가 날 파괴했으니,

* 에리히 아우얼바흐, 앞의 책, 2014, 282쪽.

카라바조, 「성 마태의 소명」(1599-1600).
빛과 어둠의 대비효과로 보이는 부분과
보이지 않는 부분이 저마다 의미를 획득한다.
단테의 작업방식도 이와 유사하다.
각 사건은 삶의 전형이 될 만한 장면을
단번에 드러내며, 바로 그때 단테는
그 사건을 겪은 저승의 영혼들을 만날 뿐이다.

그전에 나와 결혼하며 보석으로

반지를 끼워주었던 그 자가 잘 알고 있다오."

「연옥」 5곡 131-136

피아의 영혼

아직 연옥의 문에도 들어서지 못한 피아Pia의 정체는 확실하지 않다. 옛 주석가들은 그녀가 시에나의 톨로메이 가문에서 태어났으며, 볼테라와 루카의 집정관이던 넬로 데이 판노키에스키와 결혼해 마렘마에서 남편에게 살해되었다고 생각했다. 흥미롭게도 단테는 뒤늦게 참회하는 세 영혼 가운데 마지막에 등장한 피아를 바로 전에 등장한 본콘테에 비해 아주 짧게 묘사할 뿐 아니라, 피아가 단테에게 던진 여섯 줄의 말에 어떤 응답이나 설명도 하지 않고 다음 곡을 진행해버린다. 그 여섯 줄은 아무런 전후맥락을 지니지 못한 채 그곳에 매달려 있을 뿐이다.

그러나 본콘테의 사연이 64행부터 129행까지 단테와의 문답이 포함되는 등 길고 세세하게 묘사되어 기운찬 인상을 남기는 것만큼이나, 피아의 대사는 단지 6행으로 짧게 끝을 맺는데도 그녀의 존재를 더없이 생생하고 뚜렷하게 각인한다. 아우얼바흐의 설명처럼 "그녀의 기억은 남편에게 살해당한 그 시각에 집중되어 있고, 그 죽음은 그녀의 최종 운명을 봉인한다."*

단테가 현세로 돌아가는 것은 내세여행에서 지친 몸을 쉬기 위해서였다. 피아는 이를 잘 알고 있었다. 그리고 그 점을 직접 단테에게 부드럽고 나지막하게 말해준다. 물론 피아의 진술은 단테를 위로하

* 에리히 아우얼바흐, 앞의 책, 2014, 291쪽.

기보다 자신을 기억해달라는 요청에서 비롯되었지만, 단테의 내세 여행이 피곤하고 현세로의 귀환이 포근하리라는 예상이나 바람도 잊지 않고 표현한다. 믿고 의지했던 남편에게 살해당했다는 기억은 떠올리기도 싫겠지만, 그런데도 그런 기억이 깃든 현세가 자기를 기억해주기를 바란다. 물론 현세로 돌아가고 싶어 하거나 현세를 그리워하거나 현세에 미련이 남은 것은 아니다. 연옥의 모든 영혼이 그러하듯, 피아의 마음은 천국으로 올라가려는 일념으로 가득하다. 그러나 참혹했던 경험을 기억에 담아내는 모습은 피아의 정체성이 소속된 곳이 어디까지나 현세임을 알려준다. 피아는 현세에 대한 기억으로 존재하며, 아마도 천국으로 오르려는 욕망은 그 기억에 뿌리를 두고 있으리라.

그래서 피아가 자신의 죽음을 '단숨에'(남편이 왜 자기를 죽였는지 살인의 동기나 세부사항의 설명 없이) 토로할 때, 우리는 피아의 전 생애를 한순간에 가로지르는 경험을 한다. 단테는 그리스비극이 경멸했던 것, 즉 인간의 개성적·구체적 특질의 순간적 묘사를 마다하지 않았다. 그는 등장인물이 사용하는 언어와 어조, 또 인물의 몸짓과 자세를 묘사하면서 그 본질을 단번에 꿰뚫고 드러내는 데 성공한다. '현실적 묘사'라고 부를 수 있는 그것은 자신의 언어를 사물에 침투시키고 거꾸로 사물이 자신의 언어에 들어오게 하는 과정에서 실현된다.

사물의 언어

그런 면에서 단테의 언어는 투명하다. 독자는 언어가 불투명하면 지시대상이 무엇인지 확신하지 못한 채, 또는 확신하지 않음으로써 언어가 함축할 법한 저편의 의미를 떠올린다. 하지만 단테의 투명한 언어를 대하는 독자는 일말의 여지없이 그것이 지시하는 대상을 떠올리고 직접 만난다. 그래서 우리는 단테의 언어를 물질적 언어, 사물의 언어라 부른다. 하지만 단테의 언어는 가면을 쓰고 있기도 하다. 투명한 언어로 직접 사물을 지시해 사물 그 자체를 보여주는 것은 일종의 가면이다. 단테의 언어는 가면을 쓰지 않은 척하면서, 사물로 직접 나아가는 척하면서 그 저편에 또 다른 의미망이 겹겹이 쌓여 있음을 감춘다.

바로 그렇게 언어가 사물에 직접 조응하는 동시에 그 저편으로 슬며시 넘어가기 때문에 시인의 언어는 풍요로워진다. 언어가 사물에 깃들고 사물이 언어에 스며든다. 그런데 이때 기억과 망각의 변증법이 작동한다. 단테는 시를 쓰면서 스스로를 망각하고자 했고, 시가 그 자체로 흘러가기를 바랐다. 단테의 언어가 풍요로운 이유는 아마도 그의 내면이 풍요로워서라기보다는, 보르헤스의 표현을 빌리면,* 그의 시가, 그의 기억이, 그의 망각이 언어를 풍요롭게 하기 때문일 것이다.

자신의 언어가 사물과 조응하지 않는다고 느낄 때, 그래서 자신의 언어가 사물을 비춰내지 못할 때, 시인은 사물이 무너져 내리는 것을 목격한다. 모든 사물은 고유의 성격을 드러낼 때 완전해진다. 사물이 우리를 둘러싸고 우리의 조건을 구성할 때, 사물도 완전성을 획득하고 우리도 최고의 삶을 구현할 수 있다.

바로 이것이 단테가 사물의 관조를 언어의 관조와 연결하면서 말하고자 했던 바다. 관조란 제 속성대로 움직이게 둔다는 의미인데, 언어가 그 과정의 한 부분이 되고 스스로 사물의 자리에 올라 사물이 되는 국면이 단테가 언어를 운용하는 목표였으리라. 이는 사물의 주술화나 물신화와는 다르다. 또 언어를 사물과 동일하게 생각

* 호르헤 루이스 보르헤스, 『보르헤스의 말』, 앞의 책, 2015, 110쪽.

하게 하는(언어를 사물처럼 여기게 하는) 문자의 효과와도 다르다. 언어가 사물에 어떻게 닿고 사물을 어떻게 담아 실어나르는가 하는 소통의 문제, 사물과 인간의 관계를 조절하는 문제에 해당한다.

단테는 왜 망설이는가

인간은 제 나름대로 움직이는 사물을 바라보면서 자신과 사물을 조응하고, 이로써 자신을 새롭게 인식한다. 그것은 우리가 어느새 현실의 테두리에 갇혀 그 테두리를 강화하다가 스스로를 제대로 인식하지 못할 수 있다는 위험에 대한 자각이며, 현실을 넘어선 어떤 지점신비, 내밀, 초월, 사랑을 항상 참조하리라는 다짐이기도 하다. 또한 자기가 표현하지 못한 무엇이 있음을 알고 이를 보여주려는 열망이며, 표현하지 못한 것이 표현한 것에 비해 훨씬 더 많은 무엇을 담고 있음을 안타까워하는 순간이다. 따라서 우리는, 특히 단테의 천국순례를 지켜보면서, 그의 순례가 언제나 매끄럽지 않고 완결되지 않은 상태였다는 사실을 깨닫고, 왜 그렇게 주저하고 갈등하고 서성거렸는지 궁금해해야 한다. 그러면 단테가 바로 그런 식으로 언제나 잘 다듬어진 표면 아래에 놓인 거친 이면의 존재를 말하고 싶어 했다는 것을 느낄 수 있을 것이다.

12 구술성의 변용

오늘날 『신곡』이 고전이 되어가는 과정

나는 고전을 살아남은 책으로 정의했다. 마치 나무가 햇빛을 받기 위해 다른 나무 위로 길게 자라나 끝내 살아남는 것처럼, 한 편의 고전은 독자에게 오랜 기간 사랑받으며 살아남는다. 이는 작가와 텍스트, 독자의 상호작용으로 유지되는 문학 과정 속에서 진행된다. 독자가 작가의 목소리에 귀 기울이고, 그것이 시각적으로 변한 문자를 주시하며, 자신의 해석을 부여하는 것이 문학 과정의 계기들이다.

이에 비해 오늘날 고전이 되는 방식은 문학 과정에 국한되지 않고 외부로 확장된다. 장르의 이동은 물론이고, 디지털기술과 인터넷 문화에서 태어나는 하이퍼텍스트 같은 첨단매체와 관련된다. 이런 흐름에서 단연 돋보이는 현상은 독자-수신자가 수동적인 수용자가 아니라 능동적인 참여자가 되는 것이다. 텍스트는 안정된 의도를 표출하지 않으며 작가는 일정한 목소리를 내지 않는다. 독자도 텍스트와 작가에 대해 늘 똑같은 내용을 말하지 않는다. 전자식 글쓰기electronic writing가 그 한 예다. 컴퓨터는 새로운 언어와 소통의 맥락을 제공한다. 컴퓨터는 시각과 문자, 청각정보를 동시에 통합해 제공하고 여러 언어와 문화에 연동해 또 다른 차원의 정보들로 가공한다. 이런 시대적 환경은 일찍이 매클루언의 예견에 그치지 않고 우리의 기대와 예상을 훨씬 뛰어넘는 수준으로 펼쳐지고 있다. 우리는 말과 문자에 대한 새로운 개념과 자세를 가다듬어야 할 시대를 살고 있다.

『신곡』의 부활

흥미롭게도 단테는 오늘날에도 다른 고전 작가보다 더 주목받는다. 이제 단테의 문학은 과거의 고전성을 유지하는 차원을 넘어 이른바 '열린 고전'으로 거듭나고 있다. 일찌감치 차용된 회화나 조각은 물론이고 음악, 대중소설, 만화, 연극, 뮤지컬, 영화, 컴퓨터게임에 직접 차용된다. 그 이전에 철학, 종교, 정치, 미학, 이념 등 거의 모든 '인간' 현상에 대한 단테의 변용, 즉 단테의 살아남기는 거대하고 지속적으로 진행되어왔다. 그런 살아남기는 문학 과정 외부에 놓인 새로운 매체의 거점을 연결하는 모습으로도 이해할 수 있다. 단테가 천국의 꼭대기에서 목격한, 우주의 모든 것을 담고 있다는 한 권의 책이란 곧 그런 여러 거점의 연결 과정 자체를 의미한다고 할 수 있다.

『신곡』이 연극이나 영화, 음악, 회화, 조각, 심지어 컴퓨터게임 같은 다양한 매체로 부활하는 현상에는 또 다른 의미가 있다. 『신곡』의 문학언어는 다양한 다른 형식의 언어로 변신하면서 자체를 예증하고 설명한다. 그런 변신을 『신곡』이라는 기원과 비교해 아류로 취급할 필요는 없다. 다만 모든 변신은 『신곡』이라는 문학텍스트와 더불어 광활한 세계를 구축하고 있다는 점을 생각해야 한다. 『신곡』은 시적 언어의 집적물로서, 중심은 상존하되 무수한 갈래로 펼쳐지는 존재방식으로 우리 곁을 지키고 있다.

구술성의 부활

현대의 다양한 기술매체 덕분에 문학은 인쇄된 문자를 기반으로 했던 근대 이전의 구술적 성격을 다시 살려내는 듯 보인다. 예를 들어 근대의 대표적인 문학장르인 소설의 영화로의 각색은 이제 흔한 일이다. 이뿐 아니라 작가와 편집자로 단출하게 구성되었던 창작단위는 각색과 연출 등 엄청나게 다양해졌고, 독자 역시 시청각을 모두 활용하는 관객으로 변신했다. 과학기술문명의 도래로 다양한 소통매체가 등장했고 계속 쏟아진다. 비교적 전통매체인 라디오나 텔레비전, 컴퓨터에 기반한 통신, 유튜브와 팟캐스트가 그 예다. 진화하고 확장하는 매체에 따라 독자나 청중의 유형도 상당히 달라지는 모습을 보인다. 예술의 주체와 객체가 더는 구분되지 않는 분야도 늘어나고, 전통적 작가의 지위는 스토리텔러, 번안가, 연출자, 프로듀서, 게임제작자 등이 나눠 갖게 되었다. 방송매체는 상업성 때문에 문학의 유통은 물론 생산에도 영향을 미친다.

중세의 독자와 유사한 오늘날의 독자

문자성literacy은 읽는 능력을 가리킨다. 여기서 읽는다는 일은 문자를 해독하고 텍스트를 깊이 이해한다는 의미다. 읽는 능력을 갖추기 위해서는 음운론, 철자법, 의미론, 구문론, 유형론 같은 여러 언어적 기반이 필요하다. 그러나 오늘날 문자성은 언어와 숫자, 이미지, 컴퓨터 등 이해하고 소통하고 지식을 얻는 새로운 수단을 실질적으로 사용할 줄 아는 능력 그리고 수학문제를 풀고 한 문화의 지배적인 상징체계를 이용할 줄 아는 능력으로 의미가 확장되었다.

중세의 필사문화에 살던 독자는 입술을 움직여 발음하고 그것을 귀로 듣는 방식으로 책을 읽었다. 오늘날의 독자는 분명 중세의 독자를 닮아가고 있다. 중세인들이 문학을 대하던 태도나 언어를 쓰던 방식은 현대인들이 영화나 텔레비전 그리고 컴퓨터를 대하는 방식과 비슷하기 때문이다. 그렇게 발신자와 수신자가 직접 접촉하는 관계에서는 작가의 죽음과 함께 선언된 신비평이나 구조주의비평이 힘을 잃는다. 신비평과 구조주의비평은 작가의 목소리는 묻어둔 채 작가가 남긴 텍스트를 구조적으로 분석해 그것이 전달하는 메시지와 가치를 우리 앞에 보여주고자 했다.* 하지만 작가가 청중 앞에서 낭송하는 중세에서든, 시청자가 눈과 귀로 메시지뿐 아니라 미적 구조를 직접 대하고 실시간으로 댓글을 달면서 글쓴이에게 응답하는 오늘날에서든 수신자는 발신자의 존재를 직접 느끼고 거꾸로 발신자는 수신자의 반응을 즉각 인지한다. 그런 즉각적인 상호작용 속에서 그들의 관계가 어떤 단 하나의 객관적이고 영속적인 틀에 갇히는 일은 일어나기 힘들다.

단테가 재생시키는 구술성

구텐베르크 은하계를 벗어나고 있는 현재, 단테의 문학이 그 구술적 성격을 어떻게 재생시키고 있는지 살펴보는 일은 무척 흥미롭다. 문학을 각색하는 기술매체의 공통된 특성은 목소리를 동반한다는 점이다. 60여 년 전 매클루언은 전자적 상호공존성이 세계를 하나의 지구촌이라는 이미지로 재창조하고 있다고 진단했는데, 그런 흐름은 오늘날 매클루언 자신이 깜짝 놀랄 정도로, 훨씬 더 뚜렷해지고 가속화되고 있다. 매클루언은 '하나의 지구촌'을 "옛 부족들의 북소리가 미칠 수 있는 작았던 공간만큼이나 온 세계가 응축된 오

* 프레드릭 제임슨(Fredric Jameson, 1934-)은 신비평이 단테를 분석할 때 지나치게 어느 한 구절에 초점을 맞추면서 서술의 전체 맥락을 간과하는 경향이 있다고 지적한다. 프레드릭 제임슨, 윤지관 옮김, 『언어의 감옥』, 까치, 1990, 38쪽.

직 하나뿐인 공간"*을 의미한다고 했다. 그 공간은 지난 500년간의 활자와 기계시대에서 인쇄문화에 따른 인간 심리의 파편화와 더불어 사라진 부족세계의 공동체문화가 부활하는 곳이다.

인쇄문화가 어떻게 인터넷시대의 언어에 반응하기 어려운 유형의 언어를 제공하는지 살펴보기보다는 오늘날의 언어가 구술문화에 어떤 모습으로 친연성을 보이는지를 살펴보는 것이 단테 문학의 현대적 각색을 이해하는 데 더 유용하다. 우리는 르네 데카르트René Descartes, 1596-1650나 아이작 뉴턴Isaac Newton, 1643-1727식의 전문화된 시각적 공간을 포기하고 있을 뿐 아니라 비문자적 세계가 형성하는 섬세한 청각적 공간에 다시 들어서고 있다.**

『신곡』의 재창조

현대는 인쇄문화가 잃어버린 청각을 되살리면서 500년에 걸친 인쇄문화시대를 뛰어넘어 중세와 연결되는 모습을 보인다. 하지만 중세에 비해 현대는 청각을 더 풍성하게 할 뿐 아니라, 인쇄문화시대에 청각을 대체했던 시각도 살려내 청각과 함께 융합한다. 어쩌면 우리는 단테처럼 언어와 소통방식이 급변하는 과도기에 살고 있는지도 모른다. 『신곡』에서 순례자 단테는 주변의 소리와 광경은 물론이고 냄새와 대상의 접촉이 동시에 일어나는 양상을 제시해 그 과도기의 환경을 잘 담아냈다. 단테의 『신곡』이 그림과 조각, 음악을 거치면서 오늘날 연극이나 드라마, 영화, 컴퓨터게임에서 그 어느 문학작품보다도 훨씬 더 각색의 가치를 잘 발휘하는 것은 우연이 아니다. 단테는 오늘날 다시 부활하고 있다.

* 허버트 매클루언, 앞의 책, 2001, 69쪽.
** 허버트 매클루언, 같은 책, 2001, 67쪽.

단테의 부활은 문자가 말을 재현할 수 있다는, 알파벳 자모문자 체계를 유일하게 합리적인 또는 가장 뛰어난 문자체계로 보는 뿌리 깊은 유럽 중심주의에서 벗어나는 일이기도 하다. 우리가 『신곡』을 읽으며 단테의 목소리를 들으려 할 때, 『신곡』의 문자가 정확하게 단테의 목소리를 옮긴다고 생각하고 그 문자를 들여다보며 분석하려 해서는 안 된다. 사랑이 불러주는 대로 받아쓰는 단테의 모습에는 문자가 말을 고스란히 재현할 수 있다는 순진한 믿음은 보이지 않는다. 단테는 저자-필사가-번역가로서의 경험을 토대로 문자와 말의 이질성을 확인하고 인정하면서도 그 둘의 수평적 연동으로 새로운 언어를 창출하고 소통을 추진했다.

수많은 창작가가 『신곡』을 읽으며 연상하고 상상한 내용을 영화, 연극, 음악, 회화, 조각 등의 형태로 재구성하고 형상화한 궤적들은 바로 그런 새로운 언어, 즉 소리 내는 언어에서 비롯되었다. 『신곡』은 이제 수많은 각색을 거쳐 다양한 얼굴을 지닌 존재로 거듭 변신하면서 우리 앞에 놓여 있다.

13 기원의 소용돌이

나는 앞에서 단테의 목소리를 듣겠다는 생각이 데리다가 비판한 로고스 중심주의에 해당하지는 않을까 하는 의문에 대해 얘기했다. 로고스 중심주의가 어떤 확정된 진리를 선점하고 그 현전성에 따르라 강요한다면, 분명 단테의 목소리를 들으려는 우리의 취지와 맞지 않는다. 단테의 목소리를 듣기 위한 우리의 접근은 오히려 차이의 관계에 기반을 두며, 그 목소리가 쓰인 텍스트에 대한 해석적 유희를 장려한다. 그것은 기원을 주어진 현상의 존재적 원인으로 보는 형이상학적 작업이 아니고, 기원의 확인이나 고정을 향한 열망에서 나온 일종의 고전주의적 기획도 아니다. 우리의 노력은 단테가 목소리로 텍스트를 만든 작가로서 '그' 시간과 '그' 장소에 있었다는 사실을 덮거나 잊거나 그에 대해 둔감해지지 않도록 발휘되어야 한다. 그리고 오랫동안 문자, 그것도 인쇄된 문자에 익숙했던 단테의 세계를 원래의 또는 다른 측면에서 살펴보고 의미를 새겨보는 국면으로 나아가야 한다.

기원의 소용돌이

단테의 기원을 탐사하는 나의 작업은 기원을 소용돌이라 부른 아감벤의 생각을 적용할 때 좀더 의미가 분명해진다. 내가 이 책에서 말하는 기원은 불변을 전제하지 않으며 그 불변성을 탐사하고 확인해야 할 대상으로 존재하지도 않는다. 내가 말하는 기원은 "물의 일부였고 여전히 물의 일부를 차지하지만 물의 흐름에서 전적으로 분리된 형태를 유지"하는, 그래서 "고유의 법칙과 그 자체로 닫힌 구조를 고수하는데도 주변의 모든 것과 밀접한 관계를 유지"하는 소용돌이와 같다.* 기원이란 역사적 변화를 동반한다. 따라서 기원을 이해하는 것은 역사에서 분리된 기원이 아니라 역사와 함께 소용돌이를 만드는 기원에 접근하는 일이다. 그리고 그렇게 접근하는 주체도 하나의 불변하는 실체라기보다 존재의 흐름 속에서 발생하고 변화하는 하나의 소용돌이가 되어야 한다.**

부재와 존재를 반복하는 기원의 목소리

결국 내가 단테의 목소리를 듣기 위해 수행했던 탐사의 목표는 인쇄문화의 환경이 오랫동안 단테와 관련해 구축해온 어떤 고정된 틀에 변화를 주려는 것이다. 아마도 데리다의 해체를 역전시킨 꼴이 될 테지만, 사실상 둘은 같은 효과를 낸다. 내가 듣고 싶은 기원의 목소리는 단테라는 불변적 진리가 아니라 가변적인 표상들의 흐름에 실린 채 울려 퍼지는 무엇이다. 불변적 진리는 소용돌이 속에서 무수하게 튀어 오르는 파편을 무리하게 한 점에 붙잡아두지만, 가변적 표상의 흐름에 실린 기원은 그 모든 파편과 함께 한없이 발산된다. 그렇게 단테가 발산했던 기원의 목소리는 부재와 존재를 반복한다. 잔니 바티모Gianni Vattimo,1936- 식으로 말해, 깜박거리기를 그치지 않으면서, 끊임없이 움직이고 변한다.

단테는 호메로스와 달리 처음부터 문자로 창작했다. 단테는 손으

* 조르조 아감벤, 앞의 책, 2016, 96쪽.
** 조르조 아감벤, 같은 책, 2016, 98-100쪽.

로 문자를 쓰면서도 자신의 목소리를 남겼지만 그의 문자는 엄밀히 말해 문자와 소리의 경계에 서 있다. 목소리는 그것이 담은 기의를 직접 지시하지만 문자는 목소리를 대리해 표기하면서 기표 차원에 머문다. 이때 기의는 문자의 기표 아래로 자꾸 미끄러지면서 로고스-목소리의 현전성을 부수고 밀어낸다. 단테가 문자를 쓰는 동안, 자신의 기의가 기표 아래로 자꾸 미끄러지는 경험을 했는지는 모른다. 사실상 그것은 작가가 아니라 그가 남긴 텍스트 차원에서 관찰해야 할 내용이다. 나는 단테의 문자가, 기의가 기표에서 자꾸 미끄러지거나 반대로 꽉 달라붙는 식이 아니라 기의가 영구히 확정되지 않고 기표에 자꾸 붙었다가 떨어지기를 반복하는, 다가서다가 멀어지기를 반복하는 방식으로 거기에 놓여 있다고 생각한다.

고유의 아우라를 잃으면서 유지하는 기원

단테가 남긴 텍스트는 문자의 추상적 존재방식에 한정되지 않고, 거기서 파생되는 소리와 영상, 냄새, 감촉으로 확장된다. 그 어느 것이든 우리는 단테라는 기원을 하나의 고정된 기의를 달고 다니는 기표가 아니라 수많은 기의로 미끄러지면서 다양한 사회, 역사, 문화의 맥락과 소용돌이를 이루는, 유연하게 열린 기표로 대해야 한다. 그런 접근은 작가 단테가 유한한 존재였기 때문에, 다시 말해 어느 특수한 시간과 장소에 매인, 초월적이지 않은 존재였다는 사실 때문에(그 유한성이 곧 단테가 끝까지 부여잡고자 한 것이었다) 일어날 수 있다. 그런 존재방식을 마르틴 하이데거Martin Heidegger, 1889-1976 식으로 말해 시원의 사건이라 부른다면 그것 또한 언어의 사건이라고 할 수 있을 만하다.

바티모는 예술작품을 늙어가는 것을 새로운 의미의 가능성을 만드는 데 능동적으로 이바지하는 유일한 형식의 창조물이라고 말했다.* 단테라는 기원은 늙어가면서 끊임없이 다시 일어나는 사건, 다른 무엇으로도 환원되지 않는 사건, 수많은 해석과 의미를 생산해 고갈되거나 소진되지 않는 사건, 언제나 스스로를 새롭게 감추는 사건이다. 단테라는 기원은 시간의 흐름 속에 내던져져 있다. 시간을 거스르며 시간에 맞선다기보다 시간 속에서 지속하면서, 고유의 아우라를 끊임없이 잃어버림으로써 스스로를 유지한다.

우리는 그 기원이 부르는 소리에 귀 기울여야 한다. 그래서 기원의 완전성을 확인하거나 강화하는 대신 그것이 어떻게 탄생하고 성장했는지 그리고 아마도 죽음을 맞게 될 것인지(시인이 시를 쓰는 것은 필연적인 침식을 처음부터 예고하는 일이니!) 그 운명을 지켜봐야 한다. 그리하여 그 목소리가 마침내 사라져버린다고 해도 사라진 자리를 다른 목소리로 채우지 말아야 한다. 빈 자리를 채우는 것은 오로지 목소리를 불러내는 우리 존재의 경험, 시간의 폐허를 가로질러 다가오는 목소리의 파편과 흔적, 잔여물을 수신하고 그에 응답하는 우리의 경험 그 자체일 뿐이다.

* 잔니 바티모, 박상진 옮김, 『근대성의 종말』, 경성대출판부, 2002, 150쪽.

단테에게 『신곡』 읽어주기

· 맺는말

때로는 눈을 감고 귀를 열어보라. 오랫동안 잊었거나 잃어버렸던 무언가가 다가올지 모른다. 그것을 내면에 들이고 내 몸이 되는 것을 느껴보라. 눈을 감으면 저 앞을 향했던 나의 시선은 순식간에 나의 내면으로 돌아선다. 그리고 나의 내면을 울리는 소리가 들리기 시작한다. 이는 18세기 이탈리아 낭만주의 시인 자코모 레오파르디 Giacomo Leopardi, 1798-1837가 수풀에 이는 바람소리를 들으며 보이지 않는 지평선을 상상하면서 스스로의 내면과 대화를 나누는 장면이다.* 오랫동안 잊었거나 잃어버렸던 나를 만나는 시간이며, 수풀 저 너머의 광활한 우주와 만나는 장소다.

『신곡』을 읽는 것, 단테라는 기원의 목소리를 듣는 것은 바로 그런 경험이다. 『신곡』을 읽으면 오랫동안 잊었던, 또는 잃어버렸던, 내면 깊숙한 곳의 은밀하고 신비로운 것이 잠에서 깨어 우리 곁으로 다가온다. 단테의 목소리를 듣는 것은 나의 체험인 동시에 우리의 체험이다. 나와 우리의 교차, 그 움직임에 단테라는 기원이 놓여 있다.

아감벤은 기원이란 그 기원의 재료를 제공하는 현상 속에 독자

* Leopardi, Giacomo, "L'infinito," *Canti*, Roma: Angelo Signorelli Editore, 1967, pp. 96-97.

적이고 견고하게 존재한다고 말한다. 기원은 역사적 변화를 동반한다. 기원은 소용돌이와 같다. 소용돌이로서의 기원은 변화에 내재하며 변화 속에서 지속적으로 기능하는 하나의 역사적인 아프리오리(a priori, 경험에 의존하지 않고 그것에 논리적으로 앞선 것으로서 부여된 것)다. 소용돌이는 우리를 붙들어 안으로 끌어들인다. 어느 순간 우리는 우리 또한 기원의 한 파편에 불과하다는 사실을 깨닫는다.* 기원의 목소리를 듣는 것은 우리에게서 분리되어 있는 어떤 한 점으로 거슬러 올라가 우리를 그 속에 가두는 일이 아니라, 역사적 변화 속에서 언제나 지속적으로 발산하는 과정을 들여다보고 거기에 몸을 싣는 일이다. 그러면서 우리는 그 소용돌이가 일으키는 나선형의 움직임에 따라 변하거나 유지되는 기원의 목소리를 듣게 된다. 나선형의 움직임 때문에 기원은 계속해서 자체에서 탈주하는 궤도를 그릴 수 있는 것이다.

중세적 인간으로서 단테는 시공간을 균질한 것이 아니라 단절되고 분열된 것으로 경험했다. 그 단절과 분열은 처음부터 중심으로 응축될 것들이 아니었다. 중심과 주변의 구분이 따로 없는 상태, 우열이나 차별이 결코 일어나지 않는 곳, 상승과 하강이 처음부터 나뉘지 않았던 발길 등으로 채워진 단테의 순례는 자신이 직접 밟아나가며 길을 만드는 과정이었다. 단테의 순례는 재앙과 절망의 슬픔을 위로와 반성의 슬픔으로 바꾸는, 그리고 무엇보다 자신의 내면을 모든 이의 언어로 구축해나가는 여정이었다.

단테는 자신의 순례를 끊임없이 언어로 바꿈으로써 언어가 자신의 순례를 이끌도록 했다. 언어를 앞에 세우고 언어가 이끄는 대로 감정과 생각이 움직이도록 내버려두었다. 하지만 감정과 생각이 치

* 조르조 아감벤, 앞의 책, 2016, 98-99쪽.

고 나가 언어를 선도하기도 했다. 스스로에게 말을 건네는 것이 단테가 순례를 기록하는 방식이었다. 그것은 내면의 성찰이자 그 성찰이 외부로 펴져나갈 것임을 예감하는 가장 작가다운 모습이었다. 작가 단테가 그렇게 자신을 독자로 삼는 방식으로 글을 썼다면, 이제 우리는 우리 자신을 작가로 삼는 방식으로 그의 글을 읽어야 한다. 단테처럼 목을 가다듬고 천천히, 조금은 잠긴 목소리로, 마치 처음 쓰는 글자인 것처럼, 그의 글을 하나하나 읽어가야 한다.

그렇게 할 때 단테는 자신의 글을 읽는 우리의 목소리에 귀 기울이며 우리 곁에 올 것이다. 마치 처음 듣는 내용이라는 표정으로, 호기심에 찬 눈길을 던지며, 울려 퍼지는 목소리에 자신과 우리를 실어 함께 여행 떠날 준비를 할 것이다. 이것이 문자의 시대 그 끝자락에서 단테를 만나는 경험이며, 한 편의 고전을 읽는 또 하나의 새로운 방식이다.

참고문헌

루이스, R.W.B., 윤희기 옮김, 『단테』 푸른숲, 2005.

로이 해리스, 윤주옥 옮김, 『문자를 다시 생각하다』, 연대출판문화원, 2013.

발터 벤야민, 김유동, 최성만 옮김, 『독일 비애극의 원천』 한길사, 2009.

________, 윤병언 옮김, 『불과 글』, 책세상, 2016.

________, 조효원 옮김, 『유아기와 역사』, 새물결, 2010.

미셸 푸코, 이규현 옮김, 『말과 사물』, 민음사, 2012.

마이클 크로닌, 김용규, 황혜령 옮김, 『번역과 정체성』, 동인, 2010.

박상진, 『단테 신곡 연구: 고전의 보편성과 타자의 감수성』 아카넷, 2011.

박상진, 『사랑의 지성: 단테의 세계, 언어, 얼굴』 민음사, 2016.

베르길리우스, 천병희 옮김, 『아이네이스』, 숲, 2011.

야코프 부르크하르트, 『이탈리아 르네상스의 문화』 이기숙 옮김, 한길사, 2003.

에르빈 파노프스키, 『상징형식으로서의 원근법』, 심철민 옮김, 도서출판b, 2014.

월터 옹, 이기우 옮김, 『구술문화와 문자문화』, 문예출판사, 1995.

에리히 아우얼바흐, 이종인 옮김, 『단테』 연암서가, 2014.

________, 김우창, 유종호 옮김, 『미메시스』 민음사, 2012.

임마누엘 월러스틴, 김재오 옮김, 『유럽적 보편주의』창비, 2008.
월터 페이터, 이시영 옮김, 『르네상스』, 학고재, 2001.
알베르토 망구엘, 김헌 옮김, 『일리아스와 오디세이아 이펙트』, 김헌 옮김. 세종서적. 2012.
장 자크 루소, 한문희 옮김, 『언어의 기원』, 한국문화사, 2013.
자크 데리다, 김성도 옮김, 『그라마톨로지』, 민음사, 2010.
잔니 바티모, 박상진 옮김, 『근대성의 종말』 경성대출판부, 2002.
조르조 아감벤, 김상운 양창렬 옮김, 『목적 없는 수단』, 난장, 2011.
페르디낭 드 소쉬르, 김현권 옮김, 『일반언어학 강의』 지만지, 2012.
플라톤, 천병희 옮김, 『파이드로스』, 숲, 2013.
프레드릭 제임슨, 윤지관 옮김, 『언어의 감옥』, 까치, 1990.
하인리히 뵐플린, 박지형 옮김, 『미술사의 기초개념』 시공사, 1994.
허버트 매클루언, 『구텐베르크 은하계』, 임상원 옮김, 커뮤니케이션북스, 2001.
호메로스, 천병희 옮김, 『일리아스』, 숲, 2007.
호메로스, 천병희 옮김, 『오뒷세이아』, 숲, 2007.
호르헤 루이스 보르헤스, 서창렬 옮김, 『보르헤스의 말』, 마음산책, 2015.
휴버트 드레이퍼스, 『모든 것은 빛난다』, 김동규 옮김, 사월의책, 2013.
해롤드 블룸, 손태수 옮김, 『세계문학의 천재들』, 들녘, 2008.

Alighieri, Dante, *Comedia di Dante Alighieri*; 단테 알리기에리, 박상진 옮김, 『신곡: 단테 알리기에리의 콤메디아』, 민음사. 2007.
__________, *La Divina Commedia*, Commento di Anna Maria Chiavacci Leonardi. Milano: Mondadori, 1994.
__________, *The Divine Comedy*, ed., and tr., by Jean Hollander &

Robert Hollander, New York: Double Day, 2003.

Alighieri, Dante, *Divina Commedia*, a cura di Umberto Bosco, Firenze: Le Monnier, 1982, 제7판.

________, *Divina Commedia*, a cura di Giuseppe Vandelli, Milano: Ulrico Hoepli, 1928. 1979년 제21판 참조할 것.

________, *Divina Commedia*, a cura di Natalino Sapegno, Firenze: La Nuova Italia, 1955.

________, *Divina Commedia*, tr., by Mark Musa, New York: Penguin Books, 1986.

________, *The Divine Comedy of Dante Alighieri*, tr., by Martinez, Ronald and Robert Durling, Oxford: Oxford University Press, 2003.

________, *Divina Commedia* tr., by Allen Mandelbaum, New York: Bantam, 2004.

________, *Lettere a Cangrande; A Translation of Dante's Eleven Letters*, ed., by Charles Sterrett Latham, Boston and New York: Hughton Mifflin Company, 1891.

________, *Vita nova*, Milano: Feltrinelli, 1985.

________, *De vulgari eloquentia*, Introduzione, traduzione e note di Vittorio Coletti, Milano: Garzanti, 2000; Edited and translated by Botterill Steven, Cambridge: Cambridge University Press, 1996.

________, *Convivio*; 단테 알리기에리, 김운찬 옮김, 『향연』, 나남출판, 2010.

Barthes, Roland, "The Death of the Author" (1968), Lodge, David, ed., *Modern Criticism and Theory: a Reader*, London and New York: Longman, 1988, pp. 167-171.

Bindman, David et al., *Dante Rediscovered: From Blake to Rodin*,

Grasmere, 2007.

Borges, Jorge Luis *Seven Nights* New Directions, 1984.

Chesterton, G.K., "Tricks of Memory," *in The Glass Walking Stick and Other Essays*, London: Methuen, 1955.

Curtius, Ernst Robert, *European Literature and the Latin Middle Ages*, Tr., Willard R. Trask, New York: Pantheon Books, 1953.

Eco, Umberto, *Il nome della rosa* Milano: Bompiani, 1981.

Eliot, Thomas S., *Dante*(1921). New York: Haskell House Publishers. 1974.

________, *Knowledge and Experience in the Philosophy of F.H.Bradley*. London, 1964.

Eliot, Valerie, *The Letters of T.S.Eliot: Volume I 1898-1922*, New York: Harcourt Brace Jovanovich, 1988, pp. 374-375.

Foucault, Michel, "What is an Author?", in Harari, Josué V., ed., *Textual Strategy: Perspectives in Post-Structuralist Criticism*, NY: Cornell University Press, 1979, pp. 141-160.

Goldhill S., "Literary History without Literature: Reading Practices in the Ancient World," in Prendergast, C., ed., *Debating World Literature*, London: Verso, 2004, pp. 177-179.

Gotshalk, D.W., *Art and the Social Order*, Chicago: The University of Chicago Press, 1947.

Heilbronn, Denise. "Master Adam and the Fat-Bellised Lute (Inf.XXX)," *Dante Studies* 101 (1983), pp. 51-65.

Iannucci, Amicare A., "Musical Imagery in the Mastro Adamo Episode," *In Da una riva e dall'altra. Studi in amore di Antonio D'Andrea*, Edited by Dante Della Terza, Florence: Edizioni Cadmo, 1995, pp. 103-108.

Kleinhenz, Christopher, *Medieval Italy: An Encyclopedia*, Volume 1, Routledge, 2004.

Latour, Bruno & Adam Lowe. "The migration of the aura, or how to explore the original through its facsimiles," in Thomas Bartscherer and Roderick Coover. eds., *Switching codes :thinking through digital technology in the humanities and the arts*, Chicago: University of Chicago Press, 2011.

Leopardi, Giacomo, "L'infinito," *Canti*, Roma: Angelo Signorelli Editore, 1967, pp. 96-97.

Pfeffer, Wendy, "A Note On Dante, De Vulgari, and the Manuscript Tradition," *Romance Notes*, Fall, 2005, Vol. 46 Issue 1, pp. 69-76.

Reynolds, Barbara, *Dante: the Poet, the Political Thinker, the Man*, London, 2006.

Robert, Black, *Education and Society in Florentine Tuscany*, Leiden and Boston, 2007.

Saint-Beuve, Charles Augustin, "What Is A Classic?" (1837), *Sainte-Beuve: Selected Essays*, Translated and Edited by Francis Steegmuller and Norbert Guterman, New York: Doubleday & Company, 1963.

Steiner, Geroge, "Introduction," *to Homer in English*, Penguin Classics, 1996.

Warren, Vernon William, *Readings on the Paradiso*, Vol. 1., London., 1909.

Wollheim, Richard, "Eliot and F.H.Bradley," *On Art and the Mind: Essays and Lectures* London: Allen Lane, 1973, pp. 220-249.

Yates, Frances, *The Art of Memory*, London: Pimlico, 1992.

찾아보기

인명

ㅅ

ㅇ

ㅈ

ㅊ

ㅋ

ㅍ

개념

ㅈ

ㅊ

단테가 읽어주는 『신곡』
시공간을 뛰어넘는 단테의 생생한 목소리

지은이 박상진
펴낸이 김언호

펴낸곳 (주)도서출판 한길사
등록 1976년 12월 24일 제74호
주소 10881 경기도 파주시 광인사길 37
홈페이지 www.hangilsa.co.kr
전자우편 hangilsa@hangilsa.co.kr
전화 031-955-2000~3 팩스 031-955-2005

부사장 박관순 총괄이사 김서영 관리이사 곽명호
영업이사 이경호 경영이사 김관영
편집 김대일 백은숙 노유연 김지연 김지수 김영길
관리 이주환 문주상 이희문 원선아 이진아 마케팅 서승아
디자인 창포 031-955-2097
인쇄 및 제본 예림

제1판 제1쇄 2019년 7월 5일
제1판 제2쇄 2021년 1월 20일

값 16,000원
ISBN 978-89-356-6324-8 04080
ISBN 978-89-356-7041-3 (세트)

• 잘못 만들어진 책은 구입하신 서점에서 바꿔드립니다.
• 이 도서의 국립중앙도서관 출판시도서목록(CIP)은
서지정보유통지원시스템 홈페이지(seoji.nl.go.kr)와
국가자료공동목록시스템(www.nl.go.kr/kolisnet)에서 이용하실 수 있습니다.
(CIP제어번호: CIP2019023061)